U0115521

沈秋雄著

# 雲在盦詩稿

辛未雨盦

文史哲出版社印行

國立中央圖書館出版品預行編目資料

雲在盦詩稿 / 沈秋雄著. -- 初版. -- 臺北市
：文史哲，民81
面；公分
ISBN 957-547-138-5(平裝)

851.486 81003532

(259) 文史哲學集成

雲在盦詩稿

著者：沈秋雄
出版者：文史哲出版社
登記證字號：行政院新聞局局版臺業字五三三七號
發行人：彭正雄
發行所：文史哲出版社
印刷者：文史哲出版社
台北市羅斯福路一段七十二巷四號
郵撥〇五一二八八一二彭正雄帳戶
電話：三五一一〇二八

實價新台幣三二〇元

中華民國八十一年六月初版


ISBN 957-547-138-5

# 序

黃錦鋐

宋人嘗稱「論詩如論禪」，所謂「學詩深似學參禪，竹榻蒲團不計年，直到自家都了得，等閑拈出便超然。」蓋禪之道在於悟，詩之道亦在於悟也。惟禪之妙悟，不假任何憑藉，而詩之妙悟，則與學相連。故後人以滄浪論詩，但求藝術之表面現象，未能兼顧才學氣習之工夫，頗以爲失。雖然，滄浪以妙悟論詩，而悟之之道，仍由於學也。故雖云「詩有別才，非關學也，詩有別趣，非關理也。」但又稱「非多讀書、多窮理，則不能至其極也。」緣才學氣習，爲詩之基礎工夫，而禪趣真情，又爲詩之氣象表現也。才學氣習，有關於讀書，禪趣真情，則有賴於卓識，讀書無卓識，所得無非古人之糟粕。不讀書，則卓識亦無由得表現也。然讀書亦有法也。明人陳善云：「讀書須知出入法。始當求所以入，終當求所以出。見得親切，此是入書法。用得透脫，此是出書法。蓋不能入得書，則不知古人用心處。不能出得書，則又死在言下。惟知出知入，乃盡讀書之法也。」此所謂「文不程古，則不至於上品，見非卓絕，終傍古人之藩籬」也。夫文不程古，則不知古人之用心，無卓識，則雖工於詩，則終流於以文字爲詩也。明乎此，則可論詩之道矣。

秋雄棣卓識多聞，出入經史誌傳，積有年所，又喜收藏古今名人書畫，觀賞神遊，浸淫其中，怡然自樂，臻藝術精神氣象之真境。近以所作詩集見示，拜讀之後，深感其有積於中，而發之於言，有契古人言志之旨。至其歌詠山川勝景，則歷歷如在目前，抒發情懷，往往意在言外。能入於古人情意之中，又能出於古人文字之外，可謂盡妙悟之趣矣。觀其題沈寐叟行草立軸詩云：「嵇阮同流陶靖節，禪玄互證謝靈川。」秋雄蓋自道其詩趣歟！

詩畫一首書沈伯時詩後

竊嘗論詩與畫其為之也道相似焉昔蘇子瞻評王摩詰詩畫云詩是有聲畫畫是無聲詩此特就觀者而言故辭其有聲無聲非僕所謂為之之道也或有疑

之者以為畫施筆墨以象形物積形物而成境界五色區分形物墨舉為之者以象求之者以形當其舞丹鉛追物象手揮目給如工師之刻鏤焉異乎風人之鑒賞物契心處事奮激以文字而載諸言矣何得

言相似僕應之唯唯曰是固然然而有
不然者夫詩人之感物也百事千方百
觸萬應雖跡稽奮書更搜陳
皆何足以盡其意也必也陳事方物
盡其異同審其已然撥其未至
洞澈其事如火之灼指其痛在心

而後千錘百鍊以擇其尤吮毫
而書之雖一二言千萬言不能過也
故其要在練意老杜之況燕城
日感時花濺淚恨別鳥驚心其
言從軍則曰落日照大旗馬鳴
風蕭蕭言簡皆切使人深味之而不

能盡范中立作谿山行旅圖起手
莫一石於坡陀之間山路橫通左右
馱馬三五頭僕夫從其後嘉蔭覆
高谿隨路澗而上作圍陵分左右架
木為橋以通橋下泉分脈絡淙淙有
聲下注於谿一人負物將循橋自左

度於右岡右仰左抑皆林木蔥鬱右有棟宇出蔥鬱中冉上為主峯巍峩雄蒼其勢干霄更飛泉出其右下垂如線穿雲歷隙直落千萬丈以奔湍赴壑人望之如在千山萬拜之中泉聲谷應雷號悠悠響終古論其幅則橫裁才三尺縱可倍之趙子昂畫鵲華秋色圖不過八寸橫不過三尺三尺之內收鵲華之間四十里景而無不足者以其畫意足之也故詩畫之所重者在意為二之道在練此則歷乎相似也泥

伯時耽于詩文復復就余問略六法近示
其所為韻言裒之成帙假於寒齋朝
夕諷誦既久因記詩畫之說以歸之韋
伯時有以啓余
辛未初冬茮原江兆申書於埔里之揭涉園

# 雲在盦詩稿序

夫詩道之啟，其來久矣。三百篇肇始風雅，六義興焉，而勞人思婦，每多憂患之思。至奇文鬱起楚騷抽緒；雖南北殊趣，而風騷千古足以並美。炎漢之興，以迄三唐，詩道大昌，諸家騰踴，踵武繼軌，蔚為大國。浸淫至於宋世，振五季之弊，而詩道中興。洎乎明清，宗唐祖宋，各擅其勝，而風雅猶存。清季之衰，斯文東漸，三臺俊彥，率多能詩。雖自抱孤芳，未能馳騁中原，而聲華漸盛。若邵仙根、林痴仙、林幼春、林小眉、連雅堂、莊太岳、施澐舫、許南英、洪月樵、胡南溟、謝頌臣等諸賢，並世清才，或為忠義慷慨之士，抱苞桑之痛，騁風雅之思，而能嶄然特出，聲光日懋。其後代有吟人，流風所被，至今未沫也。若吾摯友，台中大甲沈伯時，誠性情中人，亦今之臺彥也。才性清高，亭亭擢秀，於儕輩中最為好學。

始治左氏，後肆力於詩，及雨盦師之門，淵源
蘊藉，蓋非一日之功。伯時學殖既豐，乃擁皋
比於上庠，談詩論學，諸生沾溉頗多。雖餘事
為詩，而感時稱物，詞筆高華，自成馨逸。頃者
，伯時輯其篋稿，命曰雲在盦詩稿，將付剞劂，
索余為序。感於世方蔑棄舊文，詩道蓁蕪；每
思先哲詩教，寧不痛心。而伯時遠紹風雅，勇於
為詩，宏揚夫子之教，尤足鼓舞後生小子也。爰書所

懷、匪敢為序也。

民國八十年歲次辛未同學弟西臺、尤信雄謹識

於腓休文吐屬才奇擅話
筆戰霆雷乾坤不壞餘
吾輩風雨同歌蘊古衷
万態低昂供感慨百年
圖史是徘徊名儒自有千
秋業冷調孤彈亦壯哉

秋雄老弟博士

錯翁頌

憶事懷人珠玉篇交游歷歷記流連韓江大德
江南夢柳絮飛花到酒邊

記同窗三韓、江儒城、馬柳棗楊諸不忘耳

荊公何作野狐精六字吟成覺有神攜手父
兄情不念老坡雙井又何人

王荊公作六言詩白頭想見江南又云父兄持我東
西東坡山谷皆學為之謂此老真野狐精也

新聞埔里靈巖館所有題山遊客群說到歸田真早計共吟止酒娛陶公

伯時言埔里師門之盛余不獲歸田心甚惘往歲作為東谷題聯復合之

詞筆要能盡性靈興來傾盡鴨頭春竹林耆舊山河邈歌腳風流孰與倫

伯時詩人吟正　辛未九月汪中未定艸

酬雲在庵惠近作

雲在知君不競心移淋邋漏遢纏霖道山高掾歸師友學海浮華變古今棋子蒲盤皆錯著春波南浦是餘音青林片碣神呵護風雨時時龍一吟

傅雲詩箋

即請

伯時吾兄教授斧政

一九九一秋日

弟羅尚呈稿

雲在庵詩集

得法曹溪半句同印心無象有深功律詩創格傳家學一斂當關角六雄沈雄感慨出沈思律中神融更不疑了了寸心千古事一庵雲在意俱違

傳雲詩箋

伯時教授郢教

辛未冬十月

弟羅尚貢稿

詩酒論文二十年漫從平淡感纏綿
遼東欲雪川原淨臺如安時花鳥妍
綽約錢砧雲在意崢嶸劍井氣森天
見書事了非無事文墨多方神理圓
奉題雲在盦詩稿呈
秋雄學長　辛未九月弟黃坤堯

# 雲在盦詩稿 目次

# 雲在盦詩稿

沈秋雄 伯時

## 朱梅詩四章追和實先先師原韻 四首

暖意生腮深淺紅，湖邊小立倚東風。春光惱殺何居士，夢入江南酒肆中。

其二

幽巖絕壑遠繁華，映雪迴風作艷花。一曲艷歌惆悵甚，當年曾住帝王家。

其三

紅顏堅質本冰清，雨夕風朝香愈盈。心事縱橫付玉笛，五更吹徹意難平。

其四

玉照堂前飛墮初，新妝璀璨又成虛。留將貞榦參天立，蟠鬥龍蛇月影疏。

夜過宜魯新居茗話二絕句

小巷幽深到隱樓，迢迢夜氣與高秋。雞蟲得失無窮事，分付茶煙養倦眸。

其二

細竹三竿綠滿前，羨君虛室得晴先。疏簾暫引涼風入，臥讀莊生秋水篇。

秋日遊花東

幾日涼風至，節候忽已秋。輒因授學便，花東成野遊。仄徑舊曾歷，雲山豁雙眸。巖樹凝寒色，溪聲咽還休。絕流躡澗石，聽蟬入松楸。同來或已厭，玩菊獨遲留。

欣趣原多軌，寂寞相與酬。澹然意自足，崇名吾何求。

旅韓雜詩並序 八首

戊午之秋，余以韓國忠南大學暨栗谷研究院之邀，隨侍錦鋐、雨盦二師偕張孝裕教授訪韓，會荼原師亦應慶熙大學之請，前往受頒博士學位榮銜，因得同行，洵稱盛事。數日之中，與彼邦諸碩彥相從甚歡，其暇並得快遊漢城、大田、扶餘、公州、大邱、慶州等處。韓國本屬文化舊邦，與我華族源出一系，情誼夙敦，其人皆彬彬古風，其地復饒古蹟。予既親臨摩娑，俛仰古今，慨然多懷；而天高日晶，景物清寥，復增窈眇之思。爰賦成小詩八章，用寫所感。詩固不工，聊以紀歷云爾。

尋山跨海不須辭，水木清華一眺之。我亦秋風嶺上客，雲心相與共遲遲。（秋風嶺）

其二

荒場古廡沐晴霞，曾住先民百十家。暫把謠歌酬海客，悠悠簫鼓動平沙。（民俗村）

其三

依山小榭起華筵，溪韻松濤到酒邊。域外風情存古道，憐伊紅袖影翩翩。（青雲山莊）

其四

翼然荒石出江湄，親見新羅百萬師。終遣有情成悵恨，百花亭畔立多時。（百花亭）

其五

溫容端寂肅清高，功庇三韓異代豪。繞宅湖山青好在，風雲常伴護旌旄。（顯忠祠）

其六

黃陵幾處立崔嵬，聞道帝魂依碧苔。柏下徘徊飛鳥盡，秋風漠漠逐人來。（天馬塚）

其七

鮑石亭前樹影斜，留明無計最堪嗟。小渠環抱餘枯葉，虛想風流環水涯。（鮑石亭）

其八

我徒行步故超超，遠近青山倘見招。一過俗離塵意改，

沙明水碧暮天遙。（俗離山）

甲子元日

歲歷更端感逝波，蟻爭龍戰竟如何。兩間長見干戈滿，
四極猶聞涕淚多。春入百花堆錦繡，曉開千竹接清和。
未應人世無貞定，湔洗還須挽九河。

題柳原飯牛圖

晴暉漠漠碧羅天，最愛垂楊拂野煙。十里郊原恣坐臥，
一春心事入芳妍。西園綠滿猶栽竹，南畝耕餘暫息肩。

歸路迎霞山照曜，游絲飛墮百花前。

送西堂兄之南韓講學

娟娟二月暮，西堂遠行時。挾書超北海，聚徒演陶詩。
三韓風物別，騁目多可悅。嶺雪兼牡丹，婉轉共佳節。
溫顏便相親，村墟數問津。在野禮不失，衣冠古意存。
君子幽賞衆，半歲入春夢。歸來把聚頭，爲我說唐宋。

過趙氏東溟書院有作即呈鶴山教授

衍派漢陽世幾更，文宗襄烈擅賢名。東溟書院遺碑在，記取當年絃誦聲(一)。

註：(一)趙襄烈者鶴山教授之第十八代祖，仕高麗末期，有賢聲。及易代以後，避居不出，專以講學爲事，東溟書院即其講學之所也。

## 銀 河

橫天一派燦秋時，深淺世人豈得知。雲雨楚臺虛悵望，何曾宋玉解相思。

雄祥自馬山見過時余方作客儒城

只算寒山尋拾得，一無人處兩人行(一)。前修詩句分明在，攜手天涯得此生㊁。

註：㊀首二語借用葉損軒詩句。

㊁歲之甲子，余與雄祥棲遲三韓，每一相思，輒數百里命駕。異域寡歡，良友聚晤，情親蓋尤視常時有加。

## 江陵東海大飯店觀日出

海上湧初日，扶欄立有時。丹霞敷麗彩，白羽媚幽姿。
爲客愁何在，隨緣欣所之。秋來風景異，北國尚棲遲。

## 與寅初偕胤錫教授同遊海印寺

千年板槧眼前橫，盛事寰中莫與京。法乳恒沙八萬片，吾取心經一卷行㊀。

註：㊀海印寺庋存之大藏經版爲高麗朝高宗二十四年所開雕，時當西元一二三七年，距今蓋近千年矣。版木共八一一三七枚，凡收佛經一四九五種，都六五六六卷，及補遺十五種，二三六卷。爲目前最古最全之藏經板槧。

## 與淳孝、寅初同遊雞龍山東鶴寺

雞龍攜手得深行，爾汝異邦三弟兄㊀。法殿莊嚴秋日靜，瞻依真覺一身輕。

註：㈠淳孝、寅初與余三人嘗約爲兄弟，余爲伯，淳孝小余數十日，爲仲；寅初爲季。

甲子秋與鶴來，妙仙等忠南諸生重遊扶餘古都率賦並柬呈天成、雨盦二師二首

殷勤訪古到扶餘，可是虯髯開國初。智積斷碑殘字在，猶存剛樸六朝書㈠。

註：㈠砂宅智積堂塔斷碑於西元一九四八年在扶餘宮北里扶蘇山下發見，據考定爲百濟義慈王十四年所建，時當西元六五四年。碑文殘留四行，都五十六字。書體剛勁樸拙，頗與二爨氣息相近。

白馬江寒樹影稀，落花巖上夕陽遲。歸來躑躅岡頭路，

絕憶他年參乘時。㈠

註：㈠落花巖在扶餘白馬江畔，西元六六〇年，新羅與大唐聯軍進攻百濟，國將破滅。百濟王之後宮佳麗三千人皆由此巖躍入江中自沈以殉，故名。余以一九七八年嘗追陪天成、雨盦二師到此一遊，今番重來，蓋二度劉郎矣。

## 附和作

### 次韵伯時甲子秋遊扶餘詩二首

汪　中

斷碑字勢六朝書，莊老聲華東渡初。今日神州勞北望，故家拉淚盡焚書。

其二

高柳儒城樹影稀，雲回水去意遲遲。人生何事輕離別，絕憶長歌卮酒時。

甲子歲余于役三韓坤堯兄自香江投贈以詩拜嘉之餘遂步其韻並柬戎庵詞丈台北 二首

單車從遠聘，風雨滿東遼㈠。縱賞庭前舞㈡。漫吟海上謠㈢。有江皆柳護，無嶂不楓燒。景物真奇絕，不知行路遙。

註：㈠余以九月一日抵漢城，適值此間豪雨成災，為十餘年來所未有。又余於是邦相知頗眾。

㈡余以十月五日首次寓賞忠大學生所演假面之舞，傍晚於學生會館前校園廣場爲之，日沒繼以庭燎，迄九時乃止。其舞觀者圈地而坐，舞者十許人，或一人出場，或二三人不等，輪番更替。舞者皆著古裝，戴面具。舞時迴旋跳擲，奮袖低昂，悉中節度。餘人擊節，有和聲。聞諸此邦友人，古昔高麗上層階級有文、武兩班，頗作威福，百姓內懷憤懣，而莫可如何，故作假面之舞以攄其不平，舞者刺譏之意皆在兩班也。故假面之舞蓋出於下層階級，今時學生亦時復藉之以諷刺當道，以和聲引發觀者激情，故假面之舞往往繼之以示威云。按中國古代亦有代面舞，出於北齊，寫蘭陵王元長恭戴假面入戰陣指揮擊刺之狀，事載《舊唐書．音樂志》及段安節《樂府雜錄》。疑是邦之假面舞即自中原傳入，特稍變其內容耳。

㊂余棲遲此間，實隔重海。又余爲諸生講授玉谿生詩，玉谿生有《海上謠》之作。

其二

天命歸周室，殷箕浮海行。衣冠存舊典，錦漢作新京㊀。
都講商詩義，索居思友生。相期萬里外，歲晚會蓬瀛。

註：㊀南韓有錦江及漢江，今其國府漢城即在漢江之濱。

附原作

秋日寄秋雄兄韓國

黃坤堯

箕子佯狂去，車書漸渡遼。上庠傳禮義，郊野訪歌謠。四國烽煙靖，三川楓樹燒。山河連漢地，歸夢故鄉遙。

其二

我有訪古意，沖天萬里行。樓船浮渤海，汗馬駐松京。滿酌松醪醉，悲歌百感生。香江怨遲暮，買棹卜蓬瀛。

栗谷先生四百周年忌演講會口占即呈座上諸君子

濟濟斯堂內，懷賢欽古風。殊流朝大海，此理此心同㈠。

註：㈠栗谷與退溪並爲海東大儒，二人論理氣離合雖頗有異同，而皆衍我宋程朱之緒則一。按理氣二者，依朱子之說，本屬不離不雜。栗谷之說，蓋偏重其不離一面；退溪之說，則偏重其不雜一面，立言雖殊，實可觀其會通也。

## 大關嶺申師任堂思親詩碑落成觀禮

江山爽氣古無前，海韻松濤共一天。純孝歌辭今勒石，摩挲欽挹此流連㈠。

註：㈠申師任堂者栗谷之母氏也，賢慧多才，詩書畫皆精，此所勒石者即其思親詩，詩云：「慈親鶴

髮在臨瀛，身向長安獨去情。回首北村時一望，白雲飛下暮山青。」

秋日與鶴山、鶴圃、雄祥同遊江陵鏡浦臺

秋到江陵更不疑，金風玉露早相期。歌辭零落斜陽晚，鏡浦臺前有所思㈠。

註：㈠鏡浦臺上前人題詩甚多，錄沈英慶七律一首如下：「十二闌干碧玉臺，大瀛春色鏡中開。綠波澹澹無深淺，白鳥雙雙自去來。萬里遊仙雲外笛，四時遊子月中盃。東飛黃鶴知吾意，湖上徘徊故不催。」款云丙子仲春，亦未詳何時也。

秋遊雪嶽山阻雨未能盡興

迢迢尋勝未當時，雪嶽山前雨似絲。曳白拖黃虛悵望，未窺姑射玉冰姿。

乘纜車登雪嶽山權金峯

不須修棧道，馭電可登攀。紅樹參差老，秋山迤邐寒。奇巖天際宿，梵唱雲中盤㈠。倉促從來去，靈臺集大觀。

註：㈠峯頂雲氣甚濃，尋丈以外不辨樹石。方余等遊遨之際，有梵唱數聲，傳自遠處。蓋峯頂當有僧寺，然爲雲霧所掩，不可詳指。

炳周教授偕仁淑自漢城見過時余方客居儒

城

穆若清風卻暑氛，海東皆遣入蘭薰。更攜皎皎天墀月，來照儒城不定雲。

## 儒城初雪 二首

紛紛撲面更沾衣，雙鵲歸來徑路微。領略遼東千里雪，行人縮項立霜霏。

其二

林壑幽暝向晚看，雪時羈思正漫漫。嗟余病腹猶逃酒，那得三瓢壓歲寒。

伯元師《香江煙雨集》讀後師喜讀東坡詩數見於集中故末章及之 二首

彩筆揮灑似奔泉，嘆息吾寧避道邊。百里香江圖畫裡，臥遊何處不雲煙。

其二

陰陽浩浩浪追攀，出處只應莊老間。見說東坡春睡美，五更鐘動夢初還。

鶴山以胡小石書摺扇見貽

杜句楚辭敷義新㈠，楷行松骨柳爲神，動搖清氣蠲煩濁，識取遠人分日親。

註：㈠胡小石嘗有《遠遊疏證》、《杜甫北征小箋》等作。

儒城秋晚有懷雨盦師　二首

俊語纏綿仰我師，春風和穆一身知。故園霜菊堪盈把，想見歡然就酌時。

其二

才情胸次皆相敵，彭澤前身更不疑。詠到荊軻壯思湧，始知平淡是邊辭。

戎庵詞丈惠詩奉答並柬坤堯兄香江 二首

勞遠瑰奇白玉篇，雲霞情意感纏綿。聲華早著驚都下，無象靈漚並日賢。

其二

瀛海低昂又一時，娥眉聊與說相思。霸才從古難爲用，休進陳王自試辭。

附原作

答秋雄韓國寄詩稿並柬坤堯香江　羅尚

萬里雲羅二妙詩，丹楓燒嶂發神思。舞猶代面兼庭燎，傳自吾華信不疑。

其二

餞別匆匆未有詩，渭城重唱寄相思。遼東欲雪多珍重，法酒微醺得句時。

其三

美人遲暮宋臺秋，詩寄檀君欲散愁。耶誕果然來聚首，當呼太白與同浮。

其　四

陳琳無主似飄蕭，議論飛卿識自高。今日愛才非昔日，不知何位置吾曹。

北國晚秋寄懷茉原師　二首

藝海蒼頭振異軍，才高自有瞻輪囷。詩書五絕開生面，回首寰中更幾人。

其二

老佛焚經事未奇[一]，多情自古重離披。愁來驅遣臨唐楷，尚想靈漚侍硯時。

註：[一]師往年作客北美，爲雪所困，嘗有「愁來老佛欲焚經」之句。

## 在川繪雲在盦圖見貽

一片幽蒼到眼前，師門揖別又霜天。架山圍水栽桑竹，更遣閒雲入屋椽。

## 無題

儒城秋盡黯嵯峨，迢遞銀河空素波。牛女相思經歲恨，人間未抵此宵多。

## 枯荷

佳人遲暮褪紅妝，聽雨客亭須斷腸。翠蓋清圓他歲事，短莖猶在水中央。

## 落葉

蕭騷行道樹，幾日見深柯。惆悵前溪舞，淒涼子夜歌。秋盡心先老，冬來恨愈多。棲遲萬里外，耿耿欲如何。

夜寢爲鼠輩所擾遂不寐

雪山已慣夢中行，天漢迢迢水殿清。鼠鬥承塵驚蛺蝶，臥聽秋蛬到天明。

不見鶴山五日矣昔人云一日三秋況又過之戲贈

待到風狂春又歸，寸心休教爇成灰。東欄紅艷一株在，日裡殷勤走幾回。

秋日儒城即事

儒城佳麗地，秋色自嬋娟。迢遞晴山外，蕭騷風樹前。

小園觀接果㊀，虛室習安禪，動靜能隨意，生涯不羡仙。

註：㊀所居宿舍前有柿子二株，結實甚繁，悉已黃熟。日前逢休沐，宿舍管理員池姓夫婦偕其孺子以竹竿擊之，柿子紛紛墜落，滿裝兩大籮筐。

## 大田有懷忘漸老人 二首

秋盡故園霜露多，懷新老子意如何。閒來想見迎旭日，仙跡巖前發嘯歌。

### 其二

淒涼夜半奏刀時，意下縱橫誰得知㈠。待到菊殘驚歲晚，
枯腸故合沃千巵。

註：㈠往年靜農師序丈之《石陣鐵書室印選》，嘗有詩云：「頑石丹心亦可哀，淒涼夜半奏刀時，此中多有縱橫意，說與俗人那得知。」

## 夜飲即席贈歌者

閒愁隨處亂如麻，雪滿遼東未見家。一曲聆君頭欲白，
不辭爛醉作生涯。

## 與淳孝驅車同遊麻谷寺

驅車靈嶽一逡巡，麻谷寺前萬里身。莫說空無即色相，

愁來千佛亦含顰(一)。

註：(一)《波羅密多心經》云：「色不異空，空不異色。色即是空，空即是色。受想行識，亦復如是。」

按佛家所謂「色」者，蓋指有情世間一切物事。麻谷寺有靈山殿，供養千佛，亦稱千佛殿。

甲子初冬與仁淑同遊漢城仁寺洞暨南山等

處盡一日之歡而別去

不須歌疊怨蘭叢，直北都門任好風(一)。仄景蒼黃氣已厲，

短街巡閱興猶濃(二)。南山氣象干天室(三)，盃酒溫馨澆客衷。

鎮日花香薰欲醉，幾人因色證禪空。

註：㈠漢城在大田正北方。

㈡仁寺洞爲文化街，舊書鋪及古董店麕集。昔北大教授周作人、錢玄同、劉半農等皆琉璃廠常客，月必數往，一往輒流連竟日，嘗彼此戲封爲廠甸巡閱使。

㈢杜詩云：「蓬萊宮闕對南山」，彼自指終南山言之。此南山與之同名，亦漢城市內最高處。

甲子小至日與敬五酒後遊大清湖

明湖風物眼中收，扶醉登臨一散愁。此去清州多少路，故園更在海西頭。

## 大元莊上作

漠漠輕陰遼樹昏，傷春傷別欲銷魂。娥眉那解離人意，彩袖殷懃勸酒樽。

## 乙丑春日寄呈龍坡靜者 二首

靜者龍坡尚歇腳，化成多士座生風。剩將奇逸兼慷慨，盡付長鋒馳騁中㊀。

註：㊀靜農丈作書，喜用日本溫恭堂製筆，其筆有「長鋒快劍」、「一掃千軍」等目。

### 其二

巍然一老即之溫，豪興猶堪舉十樽。野水憑他溪澗滿，北窗高臥不開門。

## 儒城大雪

海東三遇雪，爲客驚年遒。寫月山河白，舞風鸞雀愁。心馳彭澤徑，目斷仲宣樓。寥夜幽吟罷，驅寒恃酒甌。

乙丑歲四月中澣與完植、雅州、雄祥、鍾振追陪仲寶師同赴德壽宮看牡丹惟時花事已過竟不及見 二首

相約尋芳來已遲，藥欄空見碧參差。舊宮濕雨遊人盡，
搔首司勳入夢思。

其二

雨中留照立蒼苔，九品朝班一局開。花謝花榮真底事，
百年興廢小驚猜。

偶憶舊事柬完植教授並呈漢城大學中文系

諸君子

七日匆匆一往還，冠山只作等閒看(一)。起頑爭及生公法，

柳絮紛紛撲講壇。

註：㈠漢大校園依丘上下，其傍即冠嶽山。

敬五年來遇事多奇以詩廣之 二首

秋到儒城絕可憐，丹黃迢遞墮人前。莫愁風雨晚來急，日出雲開又一天。

其二

否泰盈虛相倚伏，人間陵谷任推遷。知君居易原無悶，閒玩物華度小年。

## 感事

拂拂溪風翦碧絲，滿街聽唱中興辭。羞將詞客哀時意，說與壚邊翠袖知。

## 哭景伊夫子

滋蘭九畹費殷勤，舊學商量振異軍。銷酒丹心歌歷落，參天筆陣色絪縕。流觀蟲鳥千般意，指點逍遙萬里雲。鶴唳猿啼成獨往，三臺風雨慟斯文。

## 寄懷鶴山教授儒城 三首

鶴山談古似河傾，品畫論文心眼明。一種風流人未賞，
楊花落盡月華生。

其二

故人千里想冰清，閒處時從丘壑行。猶有雞龍山月在，
依花帶草最分明。

其三

簪花載酒事曾經，深樹鳴蜩勞送迎。黃嫩依依湖畔路，
懷人獨坐到三更。

乙丑中秋後十日寄呈雨盦師漢城 二首

草草杯盤又別離，雲回水去恨參差。秋山紅樹開詩抱，正是遼東絕韻時。

其二

丹葉霜天秋皎潔，南山曙氣望中開。吾師自有煙霞癖，一鶴翛然獨往來。

漸丈《喜年小册》讀後

一册朋窗足破愁，何須入海逐浮漚。短章波峭追宗子，石陣鐵書盟五州。

其二

榮枯飽閱鬢髯皤，春事冉冉可若何。忘漸原知得自在，穿林應喜夕陽多。

大木先生以「戠𣪊」二字陶印見貺

二文貞吉出葩經，摶土分朱破窈冥。脫手見貽旌好事，摩挲曦日滿疏櫺。

過企丈閒話談次偶涉莊生外重內拙義 二首

幾度輕寒又送秋，地偏雲靜晚晴樓。山人別有全生術，寫篆寫荷還寫榴。

其二

重於外則內惛滋，濠上莊生有正辭。即世未聞真賭者，乾坤一擲不攢眉。

詠菊 二首

嬌紅嫩碧去堂堂，動定隨緣莫惋傷。關意新來更底事，幾盆環砌點秋光。

其二

多少辭人誇菊淡，亦由開後更無花。歲闌吾自憐寒客，爲遺數叢留落霞。

秋夕書懷用陶公己酉歲九月九日韻

掩卷空堂上，獨坐念故交。海運自千里，幽巖芳樹凋。
日月忽已遠，瑟瑟秋風高。愁來作細字，誦史盡長宵。
世無達生者，自媚還自勞。從來陵谷改，玉石同一焦。
誠信亦何有，絲竹安足陶。相揖出門去，珍重各今朝。

## 偶憶舊事卻寄

玉殿曾同坐翠微，昏時旅燕又孤飛。多情絕憶漢江柳，江北江南送我歸。

## 有懷寅初漢城

柳岸松陵處處幽，海東攜手憶同游。雪山尋勝歸休罷，兒女燈前賽越謳。

## 憶柳

漫挽行人舞弱柯，依丘駢立又環河。眼拖泓碧來荊雀，眉鎖輕煙妒趙娥。灞水橋頭寒雨歇，永豐坊裡暖風多。
芳時無計酬清景，惆悵詩人鬢腳皤。

爽秋師冬日招飲雨盦師及韓國丁範鎮教授
皆在座

翩然來遠客，小子與華筵。夢逐遼東鶴，身將閬苑仙。
春風開浩蕩，臘醑起纏綿。斗室人情暖，爭知欲雪天。

丙寅歲旦寄調敬五

欲空諸蘊保禪真，撩眼芳菲歲又新，一曲山中素女怨，感嗟多少座中人㈠。

註：㈠敬五每值綺筵盛會之際，酒酣以往，輒歌「山中之女人」一曲，其辭寓寫處女怨慕之情，調甚悲惋，而敬五乃按唱不厭，蓋有深意耶。

## 晚晴

蝶飛相趁戲花前，鶯語商量入柳邊。爲有依山紅日在，連朝絲雨作春妍。

## 感遇

武候起隆中，遂爲帝王師。淵明安丘畝，采菊事東離。

出處雖相懸，千載挺奇姿。漢晉各已遠，真古不可期。
當代無桃源，滔滔兵戈彌。道路浼人足，蕩滌將何之。
東海非我有，扶餘難久棲。歸來南牖下，屈曲誦楚辭。
陰陽有常理，貞定當何時。詩書聊自寫，從今到歲移。

至善園牡丹 三首

木棉花暖向人明，啼血鵑魂滿地生。見說牡丹堪醒酒，
更從海外育傾城。

其二

倚檻一枝紅靨開，炎方雨露護持來。祥雲從此傳新種，山杏江桃莫漫猜。

其　三

曲苑春香入夢思，天涯無語立多時。向暝風雨愁難斷，黯黯魂消下錦帷。

附賡作

頃讀伯時賦至善園賞牡丹詩賡詠三首書箋

報瓊　江兆申

名花移自高句驪，水護紗籠倍見珍。不問炎州卑濕地，也能光艷吐精神。

其二

華鐙激射悉纖埃，碎語衣香款款來。輕紅膩白都如笑，照眼凝脂輔靨開。

其三

嚴寒初解柳條蘇，猶記江南二月初。宿酒未醒人獨立，春風一片錦模胡。

杜鵑花

彩霞遠近撲山根，可是川中古帝魂。已愧形愚啼永晝，更依籬落坐黃昏。

丙寅春日夢後有作寄敬五兼呈雨盦師漢城

夢得慇懃似飲醇，漢江花柳一番新。好牽浮海陶徵士，共作晏晏村裡人。

子仲兄爲篆東坡句「春在先生杖履中」小印賦謝

春生杖履愜吾衷，浮世閒情今古同。刊石重煩斲堊手，和風收入敝廬中。

哈雷彗星

太空來遠客，其名曰哈雷。百年乃一出，面紗未肯開。虎頭而蛇尾，形貌費疑猜。觀者咸嘆息，攬衣起徘徊。見說彗主兵，墳典詳厥災。自是戒淫德，不關星斗回。我亦澹蕩者，幾夜立崔嵬。蒼冥無窮碧，忽忘成與虧。

曉起

策杖出門天未明，百禽催曉試新聲。一街冷淡風塵遠。容我中逵掉臂行。

## 滯雨

昨夜雨敲瓦。蕭颯幾侵夢。礎潤連三旬。墨雲勢猶縱。嗟余憂如山。褊急何能統。往歲困采薪。睽疏亦已衆。海棠久摧萎。薔薇何足貢。便欲罷游衍。詩書差堪誦。窗前臨信本。悲喜毛穎共。山色洗更青。寥天一翔鳳。

## 與諸生同游碧潭

臥疴頗負臨川約，是日重來一放神。清派抱巖猶泛碧，寒花被徑欲回春。驚疑孤鷺消雲漢，搖颺雙艫隱釣津。眼底諸君多俊發，山林我亦此中人。

風會

風會依稀戰國初，攻城殺將日紛如。高筵但見金甌滿，長計何曾箕翼舒。

在川爲作書課圖率題

十里春風小結廬，桃紅蕉綠映庭除。陶詩吟罷人蕭散，猶傍晴窗作草書。

在川出示茱原師醴泉銘臨本假歸展玩數日

率更八法出風塵，臨本吾師認最真。閒對摩挲秋欲老，世間何物長精神。

秋月

盈虛從大化，今夕復清光。迢遞接荒陌，翩翾連草堂，芙蕖翻酒熟，橘柚靜年芳。節物足陶寫，不須燕趙倡。

秋懷

一病了知千種非，何曾桃李及芳菲。閒時獨坐秋堂靜，
唯見雛禽戲晚闈。

勉齋先生百五十歲冥誕有作

高風直接宋文山，長遣丹心照碧寰。謀國寧能辭九死，
護田猶欲築三關。承傳有緒嚴夷夏，義節極天儆寇頑。
大命不回儀則在，清芬遠韻足追攀。

任翁隱廬蠟梅盛開 二首

倚風迴雪影扶疏，妝點仙巖木石居。一夜暗香吹不斷，

攜人清夢到華胥。

其二

含情無語立黃昏，獨向寒天守尺垣。此去春陽多少路，孤山愁絕丈人魂。

榮松兄移居招飲 二首

迢遞故山夜雨深，尊前此日一沈吟。飲醇連席十年事，花謝花榮感不禁㈠。

註：㈠余以六十三年入師大，與榮松同辦公室，隔座對望，前後凡數年之久，及先後辭兼行政工作，

遂蹤跡稍疏。至今蓋又將十年矣。

其二

壁上雲煙綠滿襟，名山看盡倦登臨。當衢新築維摩館，安頓雲龍萬里心㊀。

註：㊀榮松嘗兩度遊美，歷覽其山川之美。其新居傍羅斯福路。

蟋蟀

霜滿湖天夢不成，風圍南國欲三更。人間一例傷蕭瑟，搗碎秋心是此聲。

遊板橋林家花園率成小詩並呈同遊學波、品卿、弘治、春貴、義郎諸教授　三首

綽約山靈遠近邊，開軒一笑想他年。邯鄲夢罷人歸去，冷月荒荒照逝川㈠。（來青閣）

註：㈠閣共兩層，登閣眺望，青山綠野撲面而來，故名。閣前有戲臺，橫額上題署「開軒一笑」四字。

其二

射虎彎弓事已休，小塘曲徑足優遊。佇觀荷隙羣魚戲，

領略炎方一段秋(一)。(方鑑齋)

註:(一)齋爲讀書燕居之處,齋前深庭爲池,池中秋荷半凋。有錦鯉無數,往來嬉戲,翛然樂也。池之四周則遊廊圍繞,假山重疊,頗稱勝境。

其三

稻花連畈舊來迷,猶見晴光護短隄。陌上吟情誰會得,風吹落葉過橋西(一)。(觀稼樓)

註:(一)樓凡二層,登樓而眺,可以縱覽觀音山前阡陌相連,黍稷盈疇景象。今則高屋櫛比,遮斷望眼矣。

丁卯冬應邀赴韓國延世大學演講是日微雪

旋霽

炎方詞客再來時，玄羽寒柯兩不疑。漠漠遼天殊解意，

霏微聊與慰相思（一）。

註：（一）予自乙丑歲來不見雪蓋將三年矣，北國雪景，實縈魂夢。

與鶴山驅車往公州途經雞龍山及錦江

蜀中津嶂未曾諳，來踐遼東九折盤。錦水直前嗚咽去，

敗蘆衰蓼帶愁看（一）。

註：㈠錦江為南韓中部大江，其下流即白馬江。

丁卯寒夜與趙鶴山、都守熙、成周鐸、史在東、徐文助諸教授酒後同觀韓國傳統歌舞即席成詠

傾人意氣欲如何，長引𢷗來賡短歌。此夕沈酣高麗舞，爭知門外有干戈。

與鶴山同參觀韓國獨立紀念館感賦

立國當家各有天，漢江雪嶽接風煙。窮黎血淚分明在，

展禮遺痕一憬然。(一)

註：(一)館中陳列文物甚豐，其中頗多反映日據時代暴行圖片。

敬五暨忠南大學中文系諸君子設宴夜飲甚歡

安頓萍身便是家。紅樓相望抵天涯。酒邊爲汝橫青眼，暫倚遼雲莫怨嗟。

致成、仁成、昇勳同泛舟漢江

治水爭同治世難，揚清激濁恃平官。漢江千里明如鏡，

網得鱗蝦好佐餐。㈠

註：㈠聞漢江曩日因汚染之故，水皆濁惡，魚不可食。經大力整治，今已復歸澄碧，魚鱉可佐餐矣。因念淡水河之穢惡，視曩日之漢江蓋十倍過之，每自高空下視，黑帶一襲，令人觸目驚心，不怡者累日。而執事者方苟且食肉，坐日成歲，爲之憮然。

仲華夫子八秩嵩慶敬步師自壽詩羣雲韻原玉

人物吾師每出羣，翺翔學海氣淩雲。高文韓愈常連席，奇字揚雄何足云。馬鄭經箋發奧旨，程朱心學振英芬。

儒林碩果巍然在，聲滿蓬壺領六軍。

冠宇校長以溥先生畫軸見賜拜嘉之餘成二絕句

上達文公恃下學，巍巍泰嶽是伊川㊀。栽成多士彌瀛海，即論中師已燦然㊁㊂。

註：㊀冠宇校長風儀峻整，令人敬畏，晚年乃歸於和易。平生喜讀宋儒書，往往多所發明。

㊁論字讀去聲。

㊂校長在臺先後主台中師範、台中一中、台南師範校政，所造士甚衆。其中以任中師校長時間最

久，故栽成之人材尤多。

其二

傷心玩世溥西山，朗月清風與往還。留得吳山一角在，持予小子破愁顏。

橙黃

橙黃蟹紫欲寒天，遼海歸來又幾年。欲就瓊宮問去住，九閽目斷遍雲煙。

坤堯兄《清懷集》讀後集中談繹冰心詩文至

於再三故末章及之 二首

錦繡文辭擅古今，發硎長劍氣森森。風廊一卷憑誰識，日暮天涯一片心。

其二

流星曳耀夜三更，才女新詩鬱愴情。黑幕垂垂此出没，有生如此不分明。

茉原師有《傍舍植菩提樹欲鐫雙菩提樹龕小印口號三首》之作謹步韻奉和

觀空佛子坐菩提，證得羣生貴賤齊。春雨春風十歲後，行看貞幹傍幽棲。

其二

朗朗心燈一室明，玉壺堅質本冰清。如知色相原空相，海燕江鷗皆可盟。

其三

渡海維摩託一龕，嚴冬是處不知寒。三千經眼都如夢，指點煙雲百尺瀾。

附原作

傍舍植菩提樹欲鑴雙菩提樹龕小印口號　三首　江兆申

幽人遺我雙菩提，移來拂檻同檻齊。葳蕤百尺與雲會，結跏交楖呼雲棲。

其二

月色如霜霜月明，月輪照水寒潭清。從知四大原非我，儻與伽陀有宿盟。

其三

數遍千林有一龕，荒雞唱徹五更寒。問君今日誰龍象，舌海嵯峨聽聚瀾。

## 己巳冬日遊花蓮雜詩並序　六首

己巳除夕前二日攜眷出遊，承師大國文系花蓮班七十八級諸君接待，並蒙居聰、榮財、琳琰、智明四賢嚮導重遊太魯閣、燕子口、和南寺、水璉諸勝地，率賦小詩。

避地乘時來探春，山妻稚子共清塵。蜿蜒度越青山外，忽見汪洋接玉津。

其二

絕壁凋顏想素威，穿嵐循壑冷霏微。烏衣當日棲遊處，重過曾無一燕飛。

其三

終古陰晴猿鳥疑，諸天微意幾人知。直前翻起千堆雪，始是觀音默默時。

其四

丹碧方圓溢岸隈，石文精妙此徘徊。摩挲識得千古意，
不待胡僧話劫灰。

其五

一鶚翔天霜氣橫，羣獼掛木雨痕生。我來欣及觀元化，
滿地紅花勞送迎。

其六

蓬山臘盡雨如絲，摘得黃柑霜後枝。兩日春盤祭祖罷，
虛堂小坐便移時。

黃山憶遊敬次伯元師詠黃山彩墨畫團觀韻之作並呈同遊諸君子

誰將靈秀作岡巒，奔走龍蛇成大觀。雲裡蓮花迭出沒，屏邊松韻似波瀾。天都黛色來眉宇，始信嵐光結舌端。大塊文章讀不盡，更攜幽夢入蒲團㈠。

註：㈠黃山千巖競秀，尤以蓮花、玉屏、天都、始信四峯為甲觀，故頷聯及腹聯四句及之。又鰲魚峯上有鄒魯所題「大塊文章」四字。

庚午重陽後一日值鶴山回甲之慶余適訪韓

欣與盛會詩以賀之

楓醉點秋容，天涯一盪胸。吾原淡似鶴，君復老猶龍。
八法衍清派，四詩開遠封㈠。儒城風日好，西嶺有喬松。

註：㈠鶴山擅八法，忠南一帶能書者大率出其門下；於學則無所不窺，尤措意于詩話之研究，成就裴然。

贈史在東教授

釋典與翱翔不計秋，短歌聲壯足風流㈠。幾回攜手花前立，
腸斷秦家白玉鉤。

註：㈠在東教授耽于內典，從事佛教通俗文學之研究，卓著成績。每酒酣作歌，聲情宏壯，足以移人。

## 贈成周鐸教授

雄師百萬鳥猿驚，指點荒丘勘古城㈠。百濟新羅皆逝水，憑君辛苦話輸贏。

註：㈠周鐸教授治百濟史，頃于大田山區勘得百濟古城，以爲即當年百濟抗禦新羅之第一道防線。

## 秋柳

湖上枯黃韻入秋，春風款拂想夷猶。休言洞裡無寒暑，一到仙源便白頭。

庚午重陽與俊彥、坤堯二兄偕遊朝鮮坤堯旋港後有詩見贈次韻奉答

九日他鄉有所思，登高那得醉琉璃。逢人盡說丹楓好，寂寞秋心只自知。

附原作

贈秋雄兄　黃坤堯

春盡沈園多所思，櫻花如幻碧琉璃。孑身獨上大田

去，可有聲詩留故知。

題《輞川集》二首

輞川勝景絕清奇，冷月疏鐘入夢思。維迪風流俱往矣，剩遺寂照幾篇詩。

其二

詩心畫境共虛盈，當日髯翁有定評。試向李家求氣韻，何如白鷺戲波清。

忠南大學校園漫步

年華世勢幾番新，猶是當時躑躅人。滿地西風飛木葉，由來蕭瑟最相親。

庚午深秋應邀爲延世大學及梨花女子大學中文系研究生説李義山詠物詩

並駕康衢孰後先，晚唐才筆最堪憐。玉谿微旨歸何許，只在鶯花高樹邊。

宿梨花女子大學國際學舍偶成

中年哀樂意非輕，晚日平岡若爲情。一自楚人辭就後，滿園寒樹作悲聲。

俗離山紅葉

依山傍壑沐晴曦，麗質天生不自知。飛墜尋常莫掃卻，佳人憑此寫相思。

鶴山、在東、坤堯、幸福諸公遊東鶴寺坤堯有詩余阻病恨未能從走筆和之

古刹秋山靜，霜楓暗綠川。維摩偶示疾，惆悵失勝緣。

附原作

東鶴寺贈牧照、法杖二師　黃坤堯

東鶴秋情逸，雨餘楓染川。深齋聆妙偈，珍重結茶緣。

旨雲師靈灰將歸葬武漢

夫子東浮海，巍然樹典型。辨疆存鳳闕，絕學在麟經。
此日桑桃實，當時門館扃。靈骸歸漢上，揮涕倚長汀。

燕遊雜詠　六首

塞上黃凋滿目斑，朔風明月照雄關。窮氓百萬餘枯骨，

贏得天威一破顏。（八達嶺長城）

其二

鬢影衣香四季同，前朝宮殿夕陽中。無情有恨岡頭樹，
鎮日寒柯向碧穹㈠。（景山公園）

註：㈠崇禎縊死處在此。

其三

壁可回音衆語譁，圜丘告祭事多賒。霜風深鎖祈年殿，
漠漠寒林噪暮鴉。（天壇）

其四

張相抄家四海窮，黃金耗盡作地宮。玉門神獸成何補，龍體一般生腐蟲。（定陵）

其五

平疇四望絕岡巒，怙亂倭師啓戰端。即今東海流清淺，石獅猶自護橋欄。（盧溝橋）

其六

新春廠甸記搜尋，雜學知堂舊所欽。風景劫餘非昔日，

海王村裡感難任。（琉璃廠）

## 蜀遊雜詩 六首

六出祁山報主知，千秋俎豆不差池。若從蒙叟全生計，寧似江泥曳尾時㊀。（錦里武侯祠）

註：㊀《莊子．秋水》：莊子釣於濮水，楚王使大夫二人往先焉，曰：「願以境内累矣。」莊子持竿不顧，曰：「吾聞楚有神龜，已死三千歲矣，王巾笥而藏之廟堂之上。此龜者，寧其死爲留骨而貴乎？寧其生而曳尾於塗中乎？」二大夫曰：「寧生而曳尾塗中。」莊子曰：「往矣！吾將曳尾於塗中。」

其二

錦城絲雨浣花天，子美哀時寄一廛。垂老潼關詩史在，
憑君漫說不新鮮㊀。（杜甫草堂）

註：㊀趙翼《論詩五絕》：李杜詩篇萬口傳，至今已覺不新鮮。江山代有才人出，各領風騷數百年。

其三

偏安王業起桃園，作計吞吳躓玉軒。牽累隆中諸葛老，
綸巾不得老丘樊。（先主廟）

其四

二王區擘費沈吟，玉壘高寒岷水深。魚嘴截江分內外，蜀人蒙澤到如今。（都江堰）

其五

雄筆老泉論六國，長歌同叔笑東方[一]。絕憐嶺外東坡老，默數行人立夕陽[二]。（樂山三蘇祠）

註：[一]神宗熙寧六年，王安石因修《三經新義》加尚書左僕射兼門下侍郎，蘇轍作《東方書生行》以嘲之。

[二]東坡在嶺外作《縱目》詩云：父老爭看烏角巾，應緣曾現宰官身。溪邊古路三叉口，獨立斜陽數

過人。

其六

歷井捫參天勢圍，祥光乍現白雲飛。逢人盡說峨眉秀，獨立寒岡一振衣。（峨眉金頂）

秦中雜詠 四首

立國漢唐章遠謨，秦州四塞作王都。環河猶護高城在，萬戶閭閻入畫圖。（長安明城牆）

其二

玉環嬌侍沐溫湯，幸蜀歸來是上皇。行樂由來誇此地，
諫兵亭外月如霜㈠。（華清池）

註：㈠華清池爲西安事變發生地點，今有兵諫亭。

其三

秋來上苑獵貔貅，春日平郊戲馬毬㈠。太子生涯多盛事，
餘時猶遣注春秋㈡。（章懷太子墓）

註：㈠墓中壁畫有馬毬圖及狩獵出行圖，皆極生動。
㈡「春秋」本古時史書通名。章懷嘗注《後漢書》。

其四

長平坑趙想嬴秦，千載霜顏尚怨瞋。衆裡憑君認仔細，匈奴恐有未歸人㊀。（秦兵馬俑）

註：㊀兵俑中有相貌特異者，疑是外族人，蓋秦時軍中亦雜有北方或西北少數民族也。

新得溥心畬先生鬼怒川畫卷柬瀨戶口律子教授東京

王孫行腳接瀛天，妙境新知鬼怒川㊀。百里春風江戶路，花鬟柳眼太纏綿。

註：㊀鬼怒川在東京近郊，爲溫泉勝地。

太希老人辭世一年矣靜夜檢讀老人所書册

葉愴然有作 三首

三千世界人人錯，名理多藏淺語中。聲滿碧寰慷慨甚，

江西詩脈尚豪雄。

其二

知我者稀依鳳岡，有情無象故難量㊀。小行書記前朝事，

今夕披尋欲斷腸。

註：㈠老人籍江西，以「無象」名庵。其詩往往以淺語申名理，嘗有「三千世界人人錯」、「知我者稀」、「不因無象便無情」諸印，往往鈐蓋於所作書畫上。

其三

娓娓清言伴落暉，廣文身世意多違。蓬瀛又見春風老，無象庵前舊燕歸。

秋夜過龍坡丈人舊居回憶曩時追陪之情不勝腹痛　四首

　其一

隸法恢張奪鄧席，草書斜引逼倪黃。㈠人間興廢無窮事，一鶴寥天獨遠翔。

註：㈠丈人隸書以華山碑、石門頌爲主，用筆動盪，氣勢恢張，論者以爲度越昔人，別闢新境。行草則專習倪元璐、黃道周二家，間參沈寐叟筆意。實能遺貌取神，自成其體。觀其晚歲合作，蓋已超倪黃而上之。

其二

阮嵇人物最風流，師友丹心驚歲遒。日落寒冰思舊賦，一回書就一搔頭。

其三

干戈滿目恨分離，仲甫秋翁各有詩。病起蕉窗吟誦罷，書貽小子作瑰奇。

其四

淮海少年老一庵，涼宵猶得接清譚。如今蹀躞溫州路，冷月西風意不堪。

辛未秋日寄懷崔元圭教授儒城

閱世詩人氣自華，浦城街口憶雲車。西風又染霜林醉，倘有新篇寫落霞。

與井星伉儷訪埔里靈漚新館 二首

畫水買山違郭郛，分明門外即西湖。中開黛色通幽徑，駢植垂楊白與蘇。

其二

羣山萬壑邐迤來，入眼冰壺漲綠醅。暑氣已銷秋日薄，階前留照小徘徊。

茉原師致事將移居埔里靈漚新館

堅竹虯松次第栽，一輪明鏡絕塵埃。風翻殘帙幽眠起，杖履倏然獨往來。

讀史 二首

不誠無物枉和民，譎僞終當失衆親。若使褊心能濟事，馬陵蠲命又何人。

其二

輕財平楚魏其侯，罵座灌夫氣亦秋。貪鄙恃權田氏子，愆盈怖死可憐羞㊀。

註：㊀《史記、魏其武安侯列傳》：武安侯病，專呼服謝罪。使巫視鬼者視之，見魏其、灌夫共守欲殺

之，竟死。

辛未秋日送礽乾兄之韓國講學並柬完植、淳孝、寅初、鍾振諸舊友

眠沙臥岸自華年，雲水蒼茫惜暫遷。君到漢江逢故友，好攜紅葉入吟邊。

辛未中秋前俊彥兄歸自塞外以夜光杯見貺

燭夜流歡碧玉巵，關河冷落坐尋思。將軍令促琵琶急，可耐頹然思臥時。

萬壽兄遊絲路歸來以吐魯蕃葡萄乾見貽率成六言四句

莊子鵬飛萬里，敦煌酒郡天山。攜餽大宛風日，起予邊思如環。

畫廊中見漁叔夫子自書詩軸

鳳引崑岡二十秋㈠，淩雲一紙豁雙眸。深情忽憶過窗句，避漏移床計未周㈡。

註：㈠漁叔夫子仙逝於癸丑之歲，去今二十年矣。

㈡師工書，嘗自書所作《小窗過雨戲作》七律一首見貽，詩蓋感事而發，爲《花延年室詩》所未收，謹錄存之：「避漏移床計未周，虛從牖户作綢繆。時窮尚有千憂在，事往才堪一笑休。流水下山非逐熱，夕陰過巷不成秋。風簾西角支頤坐，且遣深深養倦眸。」

## 辛未秋夜聽景伊夫子讀江文通《別賦》錄音帶悵然有作

十年慷慨作悲歌，南浦芳春傷綠波㈠。舊宅只今成偉廈，和平路口數經過。

註：㈠江文通《別賦》：春草碧色，春水綠波。送君南浦，傷如之何。

聽實先先師讀司馬遷《報任安書》錄音帶淒然成一絕句

書聲感憤想吾師，勃鬱馬遷裁報辭。步曆考文真絕學，傷心更有艷梅詩㊀。

註：㊀師嘗有《朱梅》詩四首，蓋有所寓託之作。

辛未秋坤堯兄來臺參加二十世紀文學會議

文華兄招飲北海漁村

白玉苦瓜焚鶴人，繆思心路認清真㊀。歡然參聖漁村裡，六逸雲情似酒醇。

註：㈠《白玉苦瓜》、《梵鶴人》、《左手的繆思》皆余光中所著書。坤堯兄是次發表之論文題目為《余光中詩文集的序跋》

## 俚語四句為文傑師壽

諸公袞袞盡乘時，狷者無回仰我師。閱世證知空即色，歡持美酒事春嬉。

## 讀《蔡元培張元濟往來書札》感賦 二首

藏暉同甫鼓西潮，中叔剛聞振夏韶㈠。新舊古今成一鑄，蔡侯器識自超超㈡。

註：㈠謂劉師培、黃季剛、黃晦聞。

㈡蔡先生長北大時，延聘教授，不問新舊，一以學養爲考量要件。

其二

一卷心經換告身㈠，觀摩强爲重斯人。香江見說安窮死，恥受干戈大盜仁。

註：㈠靜農丈曩曾以彭醇士行書《心經》精品與賈人易得蔡先生自書詩一軸。

㈠蔡先生晚年流落香江，窘甚，某公命人贈以金，辭不受，遂窮而死。聞靜農丈云。

## 庚午冬夜與宜魯遊成都老街二首

大年古籀氣輪囷，希白臨池墨尚新。風雨故家蕭瑟甚，清暉山水點秋塵㊀。

註：㊀古董鋪中有童大年、容希白篆書聯及王石谷紈扇山水。石谷晚號清暉老人。

### 其二

君平卜肆子雲亭，人物錦官誇毓靈，鱗比通街都踏遍，長卿不見見參星㊀。

註：㊀《史記、天官書》：觿觜、參，益州。

## 問敬五、山君 二首

謝女承歡歌柳絮，何郎得意詠芙蕖[一]。漢江秋色連儒郡，萬里西風想燕居。

註：[一]首句謂山君令嫒秀蘭，次句謂敬五新婚。

### 其二

空闊海天魚雁疏，霜寒木落渺愁予。蓬壺珠館梅開日，携眷能來一聚無。

## 辛未中秋感事 三首

春秋變例起梁亡㈠，筆削仲尼嚴肅霜。衽席同登本汝責，威民何事假狂郎。

註：㈠《左傳、僖公十九年傳》：梁亡，不書其主，自取之也。初，梁伯好土功，亟城而弗處，民罷而弗堪，則曰：「某寇將至。」乃溝公宮，曰：「秦將襲我。」民懼而潰。秦遂取梁。

其二

鷹鴻各欲奮煙霄，平揖萬邦斯理昭。畫地爲牢真自限，空聞道路訪歌謠。

其三

晉侯圖霸苦經營，濟事依違恃六卿。幾日蓬壺風和雨，中秋月色未分明。

庚午早秋與政欣、昭明、登鑫、雄祥諸兄快遊西湖未有詩辛未秋仲追詠成篇 二首

詩人遺愛不含胡，樂天而後更髯蘇。湖山秀入心魂處，連手同來一字無。

其二

柔篙日日掩柴扉，水色嵐光意不違。野客到門驚白羽，

湖心招得主人歸㈠。

註：㈠孤山北麓有放鶴亭，爲林和靖隱居處。

## 雄祥以竹節兩面印見貽 二首

遊屐雄祥每往還，西湖遼海又黟山㈠。竹根攻錯成朱白，得意多應秦漢間。

註：㈠甲子、乙丑之歲，雄祥與余同客三韓，幅巾芒鞋，相從於彼邦名山勝水之間。庚午初秋，又得結伴同遊上海、杭州、新安江、黃山等地。

其二

風概高騫不染塵，蔡侯人品極清醇。非關好事華文翰，謝范交投氣味親㊀。

註：㊀《南史》：謝瞻不營當世，與范泰為雲霞交。

茮原師手鈔《寒玉堂畫論》校竟二絕句

羅衣起舞說嵯峨㊀，字字清圓響玉珂。詞苑即今凋敝甚，瑰才似此已無多。

註：㊀《寒玉堂畫論、論山》：春山如羅衣起舞，環佩搖風。

其二

將軍舞劍氣如神，遊女簪花陌上春。小楷精能兼秀逸，衡山以後更何人。

## 天成師招飲 二首

遼東追侍意遄飛，纓絕瓊宮燭影微。樽酒今宵強欲盡，飛花恐點先㈠生衣。

註：㈠先字讀去聲。

### 其二

鵬飛鯤運自堂堂，萬里春風接大荒㈠。蹩蹇何堪充後乘，吟邊愧殺沈東陽㈡。

註：㈠師人品峻潔，其接引後輩則藴藉如春風。於學無所不窺，尤邃於《南華》一經。

㈡玉谿生《韓冬郎即席爲詩相送一座盡驚》詩：「爲憑何遜休聯句，瘦盡東陽姓沈人。」

榮輝兄移居美洲將二十年矣偶憶舊事戲成六言四句兩章即寄

馮大去親投遠，廿年冰雪盈眸。廣韻說文抛卻，蓮花竹葉迎秋㈠。

註：㈠榮輝兄潛心《廣韻》、《説文》，其碩士論文爲《來紐字之研究》。及往美洲後，乃盡棄其所學，開

一酒館，恃爲生計。其暇則流連物華，遍遊五洲名勝。人或惜之，而榮輝方欣然有自得之色，其意量遠矣。

其二

休歎知音難遇，春風絕憶永和㊀。聞道咸池日暖，可曾晞髮巖阿㊁。

註：㊀永和爲榮輝曩日行跡最密之地，尚堪記憶否。

㊁《九歌、少司命》：與女浴兮咸池，晞女髮兮陽之阿。望美人兮未來，臨風怳兮浩歌。

贈登鑫兄　二首

擔囊就學眼前橫，(一)彈指卅年心暗驚。猶有如花美眷在，
憑君莫道老先生。(二)

註：(一)憶四十七年夏，登鑫與余將前往台中師範學校報到入學，邂逅於台中車站，時登鑫由其伯兄相陪，扁擔行李，一派農村子弟氣象。事過三十餘年，此情如在目前。

(二)登鑫近數年來忽蓄髯鬚，秋草離離，半染霜雪，年纔五十，而見之如七十以上人。嘗二次與余結伴遊大陸，一行中最受禮遇，彼岸人多以「老先生」尊呼之。

其二

古貌古心多異聞，風流人物數黎君。幾時攜手天山去，

踏破岡頭處處雲。

聞福全兄病目詩以問之 二首

攜家訪古去，足跡遍燕秦。宿雪眉山好，金頂一爲賓㈠。

註：㈠客歲之冬，福全兄攜眷遊內地，嘗遍歷燕、秦、蜀三地諸勝蹟。余亦預焉，相從甚歡。

其二

徐公病目後，芳草亦愁顏。傳語勤將護，留看塞外山㈠。

註：㈠聰俊與余來歲有遊絲路之約，頗願福全兄亦能結伴同行。

與佩纓、惠良、中生、傳馨、怡令、競雄

諸同門謁埔里靈滬新館留宿一夜而別去　二首

行意先生真鳳鸞㈠，二三小子接餘歡。橫煙翠岫排幽闥，帶露紅椒入薦盤。

註：㈠《國語、越語》：范蠡曰：「君行制，臣行意。」遂乘輕舟以浮於五湖。

其二

聽雨簷前興不孤，偶翻唐帖足清娛。龍蟠虎踞護齋館㈠，白鷺紅蓼入畫圖。

註：㊀館之右側爲虎頭山，館之前方及左側重山疊嶂，有龍蟠之勢。

## 敬悼鄭因百先生

三月杜鵑花滿城，柳周微旨説分明㊀。斜陽冉冉春無極㊁，情到濃時暗恨生。

註：㊀民國六十四年上半年，先生在臺大講授柳周詞，余嘗前往聽講。檢所存之錄音，起於民國六十三年十二月七日，迄於六十四年六月十一日。

㊁借用周邦彥《蘭陵王》越調詠柳句。時過十五、六年，先生詮釋此句時之神情猶彷彿在眼前。

## 其二

遍歷詞場觀照圓，知堂尹默得心傳(一)。蘭成老去生奇興，絕句論書一百篇。

註：(一)先生自言冣年就讀燕大時，受沈尹默及周作人兩先生之啓迪獨多。

(二)先生於民國七十一年壬戌及七十二年癸亥兩年中撰成論書絕句一百首，先發表於《國立編譯館館刊》第十三卷第一期，後收入《清晝堂詩集》中。

題陳含老書畫成扇

維揚耆宿老瀛洲，醇士西山與唱酬。箑背篆書如裹鐵，滿天明月人依樓(一)。

註：㈠成扇一面爲含老篆書，一面爲含老所作秋景山水，題句云：「滿天明月，四面秋聲，增得畫中人一腔詩思矣。癸酉五月含光又寫。」癸酉爲民國二十二年，尚在含老浮海來臺之前。

## 題陳散原、朱彊村二老書法成扇

年年消受新亭淚㈠，兵氣沈浮鳥不歌㈡。二老風流詩與字，泠然一篋入吟哦。

註：㈠彊村老人書扇詞句。
㈡散原老人書扇詩句。

## 秋瑾墓

收放如心網罟陳，隨人俯仰足全身。奇悲誰識秋風句㈠，秋瑾當年是暴民。

註：㈠秋瑾臨就刑，有「秋雨秋風愁殺人」之句。

大木先生畫展成三絕句

細蟲粗葉意嵯峨，出手恢奇感動多。法乳分明白石老，更增添一段婀娜。

其二

曲肱樓靜罷呼盧，閒遣葩經入畫圖。到眼燦然羣卉辨，不煩元恪注荷蒲(一)。

註：(一)陸機，字元恪，三國吳人，有《毛詩草木魚蟲疏》。又《詩、陳風、澤陂》：「彼澤之陂，有蒲與荷。」

其三

少小不知天地意，悔曾持蜨接蟬來。今朝對此生機滿，懷抱中年得暫開。

樽前口號爲無心齋主人發笑 二首

晴空萬里好翻飛，青眼金樽慎莫違。四大成虧真底事，看老秋光春又歸。

其二

片雨依山已不驚，閒看蟻鬥辨輸贏。嫣紅一樹勤將護，
莫爲無心便絕情。

袁寒雲詩稿書後

權力腐人今古同，八旬南面太匆匆。㈠高樓風雨淒涼甚，㈡
識見寒雲勝乃翁。

註：㈠洪憲稱帝凡八十一天。

㈡袁世凱野心稱帝，寒雲不直其父之所爲，嘗作《感遇》詩諷之，有「絕憐高處多風雨，莫到瓊樓最上層」之句。

## 許世旭教授訪臺雨盦師招飲雙安廬 二首

詩人遼海早知名，雛鳳何如老鳳聲㈠。今日歡然風雨會，杯盤笑語見平生。

註：㈠李義山《韓冬郎即席爲詩相送一座盡驚》詩云：「桐花萬里丹山路，雛鳳清於老鳳聲。」茲反用其意。

### 其二

春風桃李接天涯，杖履遊方便是家㈠。福慧修成晝日永，
雙安廬裡極清華。

註：㈠師所造士遍及海內外，杖履所至，門生無不歡喜款接，悃誠熱烈得未曾有，豈不以師之篤意真古，風神散朗，故所化者遠耶！春風之沐，小子所受多矣。

題玄廬書刻紀念魯迅逝世二十週年扇骨　二首

推尊或欲置諸天，揚抑師心亦枉然。待得浮花浪蕊盡，
湘囊收拾認前賢。

其二

冷對千夫凜素秋，甘爲孺子自溫柔㊀。畸人偏有真情性，不比恬然僞孔周。

註：㊀扇骨上刻魯迅詩句：「橫眉冷對千夫指，俯首甘爲孺子牛。」

辛未晚秋忽憶北國春柳並柬鶴山教授

三月儒城芳草齊，蓬壺秋晚雨雲低。西風吹老湖邊樹，苦憶柔條壓綠隄。

題弘一法師書聯 三首

秋老江南草木衰，世情濃淡舊曾窺。夢痕花事悲年少，(一)古道長亭恨別離。(二)

註：(一)弘一在俗時曾作《悲秋》云：「西風乍起黃葉飄，日夕疏林杪。花事匆匆，夢影迢迢，零落憑誰弔。鏡裡朱顏，愁邊白髮，光陰暗催人老。縱有千金，縱有千金，千金難買年少。」茲隱括其意。

(二)弘一在俗時有《送別》詩：「長亭外，古道邊，芳草碧連天。晚風拂柳笛聲殘，夕陽山外山」云云，小時先生教唱此歌，其時識見尚淺，詩意未能盡知，然於全詩之感傷氣氛則領受甚深也。

其二

藝術宗師禪法師㈠，神龍變化孰能知。離情割愛空諸象，

一事終身不忍辭㈡。

註：㈠弘一大師圓寂，太炎先生曾有悼詩云：「生平事跡一篇詩，絕世才華絕世姿。朱門年少空門老

，藝術宗師禪法師。」此詩靜農丈嘗以錄示，今歸李惠雅。

㈡弘一出家後，在俗時所熱愛之藝術，如音樂、繪畫、篆刻、戲劇等，一概割捨，惟於書法則終

身未忍絕緣，故一生所遺墨跡頗多，直到圓寂前二天，猶爲黃福海居士書《座右銘》一幅，又寫

「悲欣交集」四字交其弟子妙蓮法師，遂成絕筆矣。

其三

落盡繁華正性呈，雄彊收拾入和平。諸君莫遂嫌枯淡，劍氣銷時道氣生㈠。

註：㈠弘一書法，早年習北碑，茂密雄彊。及入空門，則轉爲沈潛内斂，一種靜穆之氣，令人對之自然心意和平。

辛未重陽前十日作

獨坐虛堂耽寂寥，厭聞門外日囂囂。蓬壺幾日西風緊，節近重陽秋正驕。

贈峯彰兄

妍媸真偽識其情，虹叟齊翁日送迎(一)。物外高情尊道藝，陶朱本色是書生。

註：(一)峯彰兄喜收藏，精鑒別，近年來以經營畫廊之故，每日所經眼之書畫名跡甚多。虹叟齊翁，謂黃賓虹、齊白石。

## 過台中市忠明國小忽憶舊事柬讚源、安雄二兄

幾處榕椰眼底收，他年隴畝已高樓。傍垣猶憶希夷室(一)，爾汝三人住兩秋(二)。

註：㈠《老子》：「視之不見，名曰夷；聽之不聞，名曰希。」

㈡讚源中師畢業後分發忠明國小任教，住值夜室。室頗偪陋，一榻蕭然。一九六三年及六四年間，讚源、安雄與余為準備考大學，同在某補習班進修英文，晚上安雄與余常就宿於讚源處，想二兄必能記憶也。

## 口占謝賢敬大田寄冬衫

猶有毛衫寄，應憐鹿洞寒。中年哀樂永㈠，秋思正漫漫。

註：㈠《世說新語、言語第二》：「謝太傅語王右軍曰：『中年傷於哀樂，與親友別，輒作數日惡。』」

張君胸多塊壘近忽聞喜讀《南華經》愛不釋

手

人世不平偏入眸，將軍罵座氣橫秋。偶然修得莊生術，小大成虧一例休。

明德兄自塞北歸來以魏晉象塼見貺

安詩三百思無頗，夜讀遷書發浩歌㊀。關外忽然訪古去，晉塼圖象入摩挲。

註：㊀兄潛心《毛詩》、《史記》，各有專門著述行於世。

題鄭海藏行書屏

一著差池不可追，(一)詩心墨氣自淋漓。崇名太過空成悔，(二)亦有歸山恨晚時。(三)

註：(一)公入民國後居上海，鬻書自給，一九三〇年九一八事變，從溥儀任偽滿洲國總理，甘為漢奸，由是清譽大減。

(二)公《東坡生日集翁鐵梅齋中》詩：「終知此老堂堂在，賸覺虛名種種非。」

(三)公《伯潛約遊鼓山》詩：「入山真恨晚，舉首愧山靈。」

## 植物園荷花已謝

迎涼最愛亭亭立，幾別翻成默默休。堪恨道旁青草色，離離猶自接瓊樓。

向蕁波索畫成一絕句時蕁波適偕嫂夫人新遊三峽歸來

笻杖攜家作勝游，巫山曉色尚盈眸。師門短紙斜行在，畫取江南一段秋。

題沈寐叟行草立軸 二首

遙從二爨證深情，㈠溫麗雄奇莫與京。藝事若論驚絕處，不矜能熟貴能生。㈡

註：㈠寐叟行草胎息二爨，品格極高。

㈡凡百藝事，其始也恨不能熟；及其終也，則恨不能由熟返生。寐叟書法之不可及處，正在一「生」字。

其二

嵇阮同流陶靖節，禪玄互證謝靈川㈠。丹黃信手成真諦，識見餘翁本卓然。

註：㈠寐叟《王壬秋選八代詩選跋》云：「支公模山範水，固已華妙絕倫；謝公卒章，多託玄思，風流祖述，正自一家。陶公自與嵇、阮同流，不入此社。」又云：「支、謝皆禪玄互證，支喜言玄

，謝喜言冥，此二公自得之趣。」

辛未重陽有懷承武兄漢城

談心談性入精微(一)，九日安城黃葉飛(二)。惆悵南山一面後，蓬壺兩見燕來歸。

註：(一)兄沈潛心性之學，其博士論文為《朱子哲學思想之發展及其成就》。

辛未九日憶往二章柬振宗、振繁賢昆仲

平郊曠望故園秋，姜被溫馨思舊遊(一)。語笑橫隄坐石榻，乘涼絕憶月如鉤。

註：㈠兄舊居距吾家甚近，余小時至兄家夜讀，常同宿不歸。情誼之親，何異手足！此雖四十年前事，然兄必猶能記憶也。

㈡兄舊居下有石隄，小時常坐臥其上，未悉今竟如何，思之惘惘。

穿柳銜花自爲羣㈠，隴水翻成卅歲分。登眺弟兄羞落帽，漸看篁寸欲凌雲㈡。

註：㈠一九六〇年至六三年間，振宗、振繁昆仲二人與弟嘗同在台中縣安定國校任教，後一年德昌、士山及蔡文諸兄亦自師校畢業來共事。

㈡爾時之學生已多有事業成就者。

## 辛未秋夜讀陶詩成二絕句 二首

江畔栽桑悔已遲㈠，個中真意幾人知。自從彭澤辭官後，鳥逝雲回盡可疑。

註：㈠公《擬古．種桑長江邊》詩云：「種桑長江邊，三年望當採。枝條始欲茂，忽值山河改。柯葉自摧折，根株浮滄海。春蠶既無食，寒衣欲誰待。本不植高原，今日復何悔。」

㈡公《飲酒、結廬在人境》詩云：「山氣日夕佳，飛鳥相與還。此中有眞意，欲辯已忘言。」

### 其二

東方一士操鸞鶴㈠，新燕雙飛入舊廬㈡。負氣不回真狷者，直言平淡太荒疏。

註：㊀公《擬古．東方有一士》詩云：「知我故來意，取琴為我彈。上絃驚別鶴，下絃操孤鸞。」

㊁公《擬古．仲春遘時雨》詩云：「翩翩新來燕，雙雙入我廬。先巢故尚在，相將還舊居。」

辛未重陽後一日追陪雨盦夫子及堪白、大木兩先生由峯彰兄、世瓊弟開車赴茱原師之約時師方移居埔里靈漚新館　二首

風雨重陽過後，先生與點如龍㊀。逵道驅馳百里，流觀九九尖峯㊁。

註：㈠《論語、先進》：（曾晳）曰：「莫春者，春服既成，冠者五六人，童子六七人，浴乎沂，風乎舞雩，詠而歸。」夫子喟然歎曰：「吾與點也！」。按曾晳名點。

㈡自草屯至埔里，沿道羣山迤邐，風景絕美，其間有九十九尖峯。

## 其二

入耳蟲聲斷續，盪胸山色有無。風日靈漚清麗，樽前客主歡愉。

## 讀王荊公詩 三首

物論悠悠總不齊，路人隨口說高低。千秋待得浮言盡，功過荊公費品題。

其二

不設垣牆如客館㈠，一驢鍾阜去尋雲㈡。絕憐秋雨歸來後，獨聽㈢空堂到夜分。

註：㈠《續建康志》：「再罷政以使相判金陵，到任即納節，固辭同平章事，改左僕射。未幾又懇求宮觀，累表得會靈觀使，築第於白下門外，去城七里，去蔣山亦七里，平日乘一驢，從數僮，遊諸寺，欲入城則乘小舫，泛湖溝以行，蓋未嘗乘馬與肩輿。所居之地四無人家，其宅僅蔽風雨，又不設垣牆，望之若逆旅之舍。有勸築垣，輒不答。」

㈡公《山中》詩云：「隨月出山去，尋雲相伴歸。」

㈢聽字讀去聲。

## 其三

冷雲東阜供搔首㈠，春鳥北山遺好音㈡。惘惘不甘如掬在，幾人從此悟金鍼㈢。

註：㈠公《寄蔡天啓》詩云：「佇立東岡一搔首，冷雲衰草暮迢迢。」

㈡公《半山春晚即事》詩云：「惟有北山鳥，經過遺好音。」

㈢昔海藏翁論詩，嘗以爲詩中當含惘惘不甘之情，斯爲佳製。周棄子亦以爲言。

## 辛未重陽後三日夢中過馬鳴村故居 二首

隴畝相依廿幾春，鐵砧山月夢中親。如今四海棲遲客，曾是馬鳴村裡人㊀。

註：㊀舊居在台中縣外埔鄉馬鳴村，右前方有鐵砧山，小時常往山中刈草。

其二

滿目菜花阡陌改，老屋數椽夷作田㊀。三徑陶公詎有宅，半規新月不成圓。

註：㊀往時所居老屋已夷作田地，開滿菜花矣。

渭濁

渭濁涇清看合流，斷斷相向不能休。微言爭得堂堂在，公穀諸師亦自謀(一)。

註：(一)謂兩漢《公羊》及《穀梁》諸博士。

曩承堪白先生賜刻「左氏癖」三字印感荷之餘頗擬更求先生賜篆「左盦」二字不嫌與劉申叔同齋名也 二首

芍藥迎風奈若何(一)，秋堂永日起婆娑(二)。仲圭(三)饒有臨池興，手寫心經日一過(四)。

註：(一)《世說新語、任誕第二十三》：「桓子野每聞清歌，輒喚奈何。」先生曩曾仿新羅山入寫得青芍藥一朵見賜。

(二)先生曩曾賜刻「婆娑永日」四字小印。

(三)元吳鎮字仲圭。

(四)近聞先生每日寫《心經》一通。

其二

死便瘞埋劉沛國(一)，心香左氏杜征南(二)。千秋我亦同斯癖，重累先生起一盦。

註：㈠《晉書、劉伶傳》：「常乘鹿車，攜一壺酒，使人荷鍤而隨之，謂曰：『死便埋我。』其遺形骸如此。」劉伶，沛國人。

㈡《晉書、杜預傳》：「時王濟解相馬，又甚愛之；而和嶠頗聚斂，預常稱『濟有馬癖，嶠有錢癖』。武帝聞之，謂預曰：『卿有何癖？』對曰：『臣有《左傳》癖』」杜預官至征南大將軍。

## 讀柳州詩文 三首

少人多石楚之南㈠，泉墜樹環鈷鉧潭㈡。從此騷人忘故土，中秋觀月酒初酣㈢。

註：㈠柳州《小石城山記》云：「其氣之靈，不爲偉人，而獨爲是物，故楚之南，少人而多石。」

㈡柳州《鈷鉧潭記》云：「其清而平者且十餘畝，有樹環焉，有泉懸焉。」

㈢柳州《鈷鉧潭記》云：「尤以中秋觀月爲宜，於以見天之高，氣之迴。孰使予樂居夷而忘故土者，非茲潭也歟！」

其二

煮茶然竹倦登臨，空闊南天自古今。鼓枻中流成一眺，巖雲出岫果無心㈠。

註：㈠柳州《漁翁》詩云：「漁翁夜傍西巖宿，曉汲清湘燃楚竹。煙銷日出不見人，欸乃一聲山水綠。

回頭天際下中流，巖上無心雲相逐。」按：柳州蓋以漁翁自況。

其三

日出青松顏色鮮，山齋貝葉認西賢㈠。河東廣廈分明在，不與韓公爭道傳㈡。

註：㈠柳州《晨詣超師院讀禪經》詩云：「日出霧露餘，青松如膏沐。」又云：「閒持貝葉書，步出東齋讀。」

㈡柳州於儒、釋、道三教蓋兼容並包，各有所取，視韓文公之專欲傳孟子之道統，其識量固自有別。

## 秋日坐雨

風光流轉感依違[一]，人世可言新覺稀。舊境如煙和夢過，慣看秋雨打成圍。

註：(一)杜少陵《曲江二首》：「傳語風光共流轉，暫時相賞莫相違。」

儀女哲兒今年得順利升學內子子惠之力爲多

羣兒爭隘道，儀哲得天和。尋勝每孤往，持家賴汝多。

養春近來屢遊大陸次數之頻蹤跡之廣爲朋

輩第一

悲歡往事倦重尋，漸覺繁霜兩鬢侵。一杖飄然山海去，年來遊興轉深沈。

賦得楊花

二月楊花作麗春，橋頭隄上往來頻。小園一夜狂風起，吹落西家愁殺人。

記　夢

印階花影因風亂，繞殿烏衣向日飛，浩浩陰陽何可說，涼宵空得夢依稀。

## 往事三章

春來羣卉綻香苞，假得異書親手鈔㊀。牽累峨眉山裡鳳，直將蕉葉作甘肴。

註：㊀一九五九年頃，余就讀台中師範，其時出版業尚不發達，外版書尤不易得，亦尚無影印複印機器。嘗假得唐君毅先生《道德自我之重建》及牟宗三先生自傳手稿，讀而好之，遂手自鈔寫。前者並蒙學妹張月鳳協助鈔寫一部分。

## 其二

山居留飯及春深，大度風高數謁臨㊀。宋論船山真卓見，百年興廢獨沈吟㊁。

註：㊀一九五九年頃，牟先生在大度山東海大學講學，嘗數趨謁請益，並蒙多次留飯。

㊁時牟先生方披閱王船山《宋論》、《讀通鑑論》諸書，嘗對小子有所開示。

其三

千載真儒不可尋，黃岡發聵振奇音。中宵負去如何說，耿耿私衷直到今㊀。

註：㊀一九五九年頃，嘗從牟先生處假得黃岡熊十力所著《原儒》一書歸讀，書為線裝初印本，其時為

海內有數幾部之一，甚爲艱得。不意一夕忽然失蹤，遍覓不著。此事雖蒙牟先生俯諒，然余私衷則迄不能無耿耿。

往事二首爲政通先生壽即呈政通先生

向來蕭瑟賴匡扶，高柳橋邊有菀枯。留得天心皓月在，回頭風雨一時無。㈠

註：㈠東坡《定風波》詞云：「回首向來蕭瑟處，歸去，也無風雨也無晴。」余讀而甚愛之，曩曾蒙壯爲丈鐫成細朱文閒章。今用以壽先生，意先生必能俯鑒其情也。

其二

不必執經親教讀㈠，和風清穆足移人㈡。即今滄海揚塵後，沙暖泥融猶是春。

註：㈠教字讀去聲。

㈡余未嘗親受教於先生，然而自一九五九年獲識先生以還，數趨謁請益，所得獨多，不亞於受業之師。

讀石禪師跋太希老人書蘄春黃季剛先生詩卷

詩旨文心發妙諦，華岡陂樹鬱婆娑㈠。錯翁書卷憑題尾，甥舅一門勝事多。

註：㈠師曩年在華岡講授《詩經》、《文心雕龍》二書，余曾前往聽講。

㈡師與太希老人爲甥舅，又同爲蘄春門下士。

## 正浩師講學漢城詩以問安

小學翼經真坦途，丘明勝義仰開敷㈠。年來木鐸揚東海，

可有傳衣六祖無㈡。

註：㈠師在大學講授《文字學》、《左傳》諸課程，後者並有專門著作多種。

㈡師嘗先後三次赴韓講學。

## 題彭醇老自書詩卷 二首

山陰古道峙鵷鸞，雅調醇翁每獨彈。㈠論藝談詩書札在，晴窗時復一披看。㈡

註：㈠醇老行書取徑於山陰，尤得力於《聖教》一序。

㈡曩曾承靜農丈及太希老人各以醇老一札見賜。又嘗從舊書鋪購得醇老致梁寒操書札數通。

### 其二

清詠聲高浮斗牛，江西才子倚滄洲。㈠從來氣類通哀樂，香宋秋明皆勝流。㈡

註：㊀醇老江西人，詩學宋甚有心得，衍清季同光一脈。

㊁卷中詩有《壬午上巳香宋老人約遊烏尤寺》、《如昨行次韻尹默》、《次韻答旭初》、《贈纕蘅》等題，所與唱酬，皆抗戰前詩壇一時之選。

## 追念胡蘭成先生 四首

書生爭敵盜莊拳，逐鹿閒情空著鞭。地覆天翻公亦老，山河歲月故依然㊀。

註：㊀先生著有《山河歲月》一書，觀照歷史，極有慧解。文字亦別具風格。

其二

草山堅臥屏將迎㈡，英氣他年付雨聲。多少人間兒女事，今生今世說分明㈠。

註：㈠先生晚歲應張曉峯先生之請，回國在華岡講學。余以早年讀其《山河歲月》一書，深爲欽仰，因得謁見，並有書信往來，據所存甲寅年十一月三日賜函，有「此地生活多有未習慣，惟覺學術空氣閉塞，故亦不與誰交游。」等語。

㈡先生著有《今生今世》一書，嘗蒙以日本初印本見贈。書爲先生自敍平生之作，其中於先生與張愛玲女士之交往始末敍述頗詳。

其　三

二月胡村花事好，瓦崗人物渺雲煙。愛才今日非他日，
默聽(一)時賢議昔賢(二)。

註：(一)聽字讀去聲。
(二)先生身後，海內外議論頗爲不齊。

其四

啼鳥風花成遠遊(一)，白雲猶是漢時秋。天壤雙璧昭然在，
舊境重尋我欲愁。

註：(一)先生所著《今生今世》一書中有《風花啼鳥》、《遠遊》等子目。

## 讀許疑庵先生詩 三首

秋花秋淚愁無極㊀，黃歙詩翁語甚奇。談笑昌黎徑入室，抗行東野失尊卑㊁。

註：㊀先生歙人，有《秋夕偶書》五古云：「秋淚不易滅，入土化爲花。爲花亦何事，香遍秋人家。今香如昔香，誰復愁天涯。今花非昔花，彌使人歎嗟。咨嗟莫滴淚，又恐淚生芽。」
㊁先生五古幽深奇峭，出入韓、孟，而自具面目。

### 其二

杭歙途中選石床㊀，新安江上潑嵐光㊁。江南麗景皆公有，怪底詩情撲面涼。

註：㈠先生有《由杭歸歙途中雜詩五十五首》，其中有「憶坐梅坪選石床」之句。

㈡先生有《新安江雜詩五首》，其中有「山山濃黛潑嵐光」之句。

其三

鴻飛冰上兩心同，㈠別圃吾師及見公。㈡巖穴他年訪舊跡，

黃山三日太匆匆。㈢

註：㈠謂黃賓虹。虹叟與先生爲至交，又同爲歙人，有齋名曰「冰上鴻飛館」。

㈡茉原師《許疑庵先生遊黃山詩》後記云：「戊寅、己卯間，余嘗侍先君數謁先生於眠琴別圃。」

按戊寅爲一九三八年。

㊂先生家近黃山，故黃山爲其常遊之處，有遊黃山詩八十餘篇。余於庚午之歲亦曾一遊黃山，躬見雲海之盛，惜前後只三日，未能窮盡其奇，爲可憾耳。

## 春貴兄贈盆栽數事

文心抽繹見深功，㊀小事田桑亦屢豐。最是杪秋蕭瑟處，當階幾朵作春紅。㊁

註：㊀兄精研劉彥和書，其碩士論文爲《文心雕龍之創作論》，嘗見詹鍈《文心雕龍義證》屢引其說。

㊁所饋盆栽中有孤挺花一種，花正盛開，清艷獨絕。

辛未十月廿四夜讀《左氏》僖公二十七年暨二十八年傳

剛而無禮以臨民，連穀得臣終殞身㈠。說與旁人莫悵惘，賈言千古尚如新。

註：㈠《左氏》僖公二十七年傳：「蔿賈對曰，『子玉剛而無禮，不可以治民。過三百乘，其不能以入矣。』」按子玉即楚令尹成得臣，僖公二十八年城濮戰敗，自殺於連穀。

人情

人情厭捭闔，天氣愛涼秋。徙倚斜陽裡，青山偏入眸。

## 棟財弟墳上作

有弟頗挺出，嶷然博親歡。阿兄久宦食，門戶恃照看。
一夜簡書至，束裝赴戎次。展轉便金門，海上風景異。
兩月接凶耗，言汝戢厥翅。訇然天地翻，何以有此事。
尋汝前日書，辨詳書中意。但言寡儔侶，孰信忽凋瘁。
不敢令親知，悲抑强忍淚。奔走問消息，情實如雲翳。
阿兄真無能，彷徨竟無計。空得骨灰罈，哭汝聲淒厲。
憶汝少小時，敦龐寡言辭。寒門生計拙，赴事不遲疑。

弱齡刈草去，傷足暮來歸。臥床過半載，幸遇彼良醫(二)。
進學知勉勵，青眼頗得師。淡海濤浪湧，春草亦離離。
欲進而反退，奉親作飾辭。總爲貲費重，貧家多可悲(三)。
仲兄多不檢，嗜賭負巨資。變賣盡薄產，用以解其危。
我自有微祿，惟汝無宿棲。當時雖不語，汝心琴姊知。
問姊假一室，此言有餘淒(四)。男兒志四海，手足相因依。
春水終共濟，逵道得驅馳。汝意兄能會，作計抑太癡。
自汝棄親去，新陽頻改故。阿母思念爾，哭泣輒無度。

慟積成恍惚，便欲尋汝處。四望何所有，空撫墳上樹。
誰能起九泉，阿兄實無助。人事不可量，但恨多謬誤。
仰首發悲歌，天道竟若何。

註：㈠弟沒於一九七八年七月十一日，先是，軍中訃聞死亡原因爲自殺，後經追詢，又改稱係執行衛兵勤務時槍走火負傷死亡。

㈡弟弱齡時以刈草傷足，右後腳筋斷絕。住院經西醫幾度手術縫接無效，瀕於絕望。後幸經人推薦苗栗某傷科醫師以草藥敷治，半年竟癒。

㈢弟自台中一中畢業，考上淡江數學系，以奉親爲辭，放棄而不就學。雖經多方勸說，不爲所動。設爾時進淡江就讀，當不致有後來之事。執意不回，思之但有惋傷。

㈣此事余時未有所聞，當弟歿後，始聞琴妹提及。琴妹於棟財弟為仲姊，適嚴。

## 題章太炎先生書軸 二首

睡起春陽透碧紗，傍窗留得數行斜。餘杭別有千秋業，

國故論衡書一車㈠。

註：㈠先生究心古學，著述如林，其中有《國故論衡》一種。

### 其二

不穀緩言言急僕㈠，吳娘映日總歸泥㈡。白頭誰信窮經叟，

早歲風雲驕馬嘶㊂。

註：㊀先生言國君自稱「不穀」，猶言「僕」，緩急異言耳。見《春秋左傳讀》。

㊁先生討治古音，嘗有《娘日二母古歸泥》一文，收《國故論衡》中。

㊂先生早歲嘗參加革命。

辛未十月廿五日作

明妃圖象已非真，如沸羣言孰主賓。海立山飛風景惡，

佛陀龕裡亦愁顰。

讀黃晦聞先生詩 三首

花前負手意深微(一)，朝報燔餘掩晝扉(二)。白露蒹葭詩句老(三)，江山如此夙心違(四)。

註：(一)先生有《答秋湄書意》七律詩，篇中有「負手花前意自深，晚秋蟬吹久銷沈」之句。

(二)先生有《閉門》七律詩，篇中有「閉門聊就熨爐溫，朝報看餘一一燔」之句。

(三)先生齋館名爲「蒹葭樓」，取《詩、秦風、蒹葭》篇意，此詩前儒或以爲慕賢之作，或以爲慕情之作，先生蓋採前說。

(四)知堂老人言先生憤世疾俗，覺得現時很像明季，爲人作書，常鈐「如此江山」一印。

其二

閱世真知世路艱，聊從辭國現斑斕。君看詩律精微處，何似半山同後山㊀。

註：㊀先生之《蒹葭樓詩》出入半山、後山二家，而清覺殆欲過之。

其三

主講上庠三十秋，亭林襟抱與推求㊀。南朝漢魏詩箋在，翰海求心意每投㊁。

註：㊀先生執教南北各大學數十年，一九三四年秋季在北大講授顧亭林詩，感念往昔，常對諸生慨然言之。

㈡先生有《漢魏六朝樂府風箋》一書，箋釋精詳，余年來在師大講授樂府詩，此書爲主要教材之一。

## 互爲

互爲賓主陛階前，堅竹虬松共一天。如火杜鵑彌澗谷，
看花情態轉茫然。

## 念家明兄

鄭子三年事每乖㈠，交春雨露便調諧。萱堂昨日清言裡，
猶說鶵雞五里牌㈡。

註：㈠兄曩歲遇車禍，今已漸痊。

㈡兄爲余初中同窗，爾時往來甚密，事隔三十餘年，家母猶能記之。其舊居在大甲鎮北郊，舊名五里牌。

自所居赴師大途中遇雨口號

雲鶴翔千里，潛龍寄一湫。金華接麗水㈠，風雨每盈眸。

註：㈠所居在永康街，赴師大授課常往來金華街及麗水街。

憶北國李花　二首

亭亭露井絳桃傍㈠，拋卻胭脂作淡妝。月裡雲中虛結慕㈡，未妨惆悵是清狂㊂。

註：㊀漢無名氏《雞鳴》古辭：「桃生露井上，李樹生桃傍。」

㊁李義山《子直晋昌李花》詩：「月裡誰無姊，雲中亦有君。」

㊂李義山《無題》七律云：「直道相思了無益，未妨惆悵是清狂。」茲借用其句。

其二

沈醉東風最可憐，山圍水碧作胡天。不須開到十分滿，

五六分時已惘然。

追念屈翼鵬先生

先生鯤化去，蹤跡渺難尋。文字商初義(一)，詩書見夙心(二)。

高山春氣暖(三)，梁木恨思(四)深。忍淚十年外，今秋感不任。

註：(一)先生著有《殷虛文字甲編考釋》一書，研考文字之初形本義，時有創解。

(二)先生精討《詩》、《書》、《易》，著有《詩經釋義》、《書經釋義》、《先秦漢魏易例述評》等書。

(三)余於一九七〇至一九七五年間，曾先後聽先生講授「先秦文史資料討論」、「中國經學史」、「周易」等課程。

(四)思字讀平聲。

追陪天成師木柵茶亭坐雨即呈同遊學波、

慶萱、明德、弘治、信雄、春貴諸教授暨夫人 三首

小室茶甌暖，歡言見道尊。窗頭風和雨，世事不堪論。

其二

白雲多變幻，入眼衆山移。帶雨巖旁樹，秋花亦甚奇。㈠

註：㈠時當杪秋，乃見巖下一桃樹綻花數朵，濕紅可憐，信蓬瀛地氣之暖，無間四時。

其三

天氣分晴雨，人情惜酒杯。爲看依嶺日，攜手待重來。

井星伉儷過談談次偶及明末舊事遂至夜深

二首

百萬精兵盡委鑾，海天何處是雄關。自從望帝生翎後，夜夜悲鳴淚有斑。

其二

坐看滄海欲揚塵，漸老弟兄情轉親。待到天翻地變後，相攜何處可逃秦。

秋堂獨坐有懷鶴山、礽乾、敬五、寅初諸

舊友韓國

獨坐秋堂靜，引毫時一揮。閒愁畫裡隱，舊境夢中歸。
歲曆偕人老，同心與我違。堂前雙燕子，向日故飛飛。

秋深偶成五言四句二章示耀郎賢友意耀郎必能識其情也

鱗物行雲雨，於菟守一丘。身將心俱懶，畫裡得優遊。

其二

玄海波濤壯，秋風鸞雀高。花前聊負手，夕日滿林皋。

久未謁仲麐夫子詩以問安時辛未重陽後十日也　二首

物論滔滔不可支，滿城風雨想吾師。年來俗惡傷心目，賴有黃花振晚奇。

其二

體勢悲盦愧見許㊀，鍾劉元白發幽光㊁。交親何范風流遠㊂，接得詩人一紙藏㊃。

註：㊀師嘗謂余書法體勢近趙撝叔。

㈡謂鍾嶸、劉勰、元稹、白居易。師曩年在師大主講「中國文學理論研究」課程。

㈢謂何遜與范雲。借指師與詩人周棄子先生。棄子先生已辭世。

㈣師嘗爲余代向周棄子先生求得自書詩軸一幀。

## 贈鵬程棣二絕句

分寧詩法鬥奇兵㈠，人物江西掉臂行㈡。醇老錯翁今已矣，眼中吾子快平生㈢。

註：㈠謂黃山谷。山谷，分寧人。

㈡司空圖《力疾山下吳村看杏花》詩：「掉臂只將詩酒敵，不勞金鼓助橫行。」

㊂彭醇士先生及太希丈皆江西人。鵬程亦江西人。

其二

高歌淡海氣淩雲，麗水街頭幾夕醺㊀，秋雨秋風亦歲事，風前漫許愴離羣。

註：㊀鵬程舊嘗賃居麗水街。

青山

青山亂疊孰晴明，矮子隨人作笑聲。一自屈平龜卜後，廚頭瓦釜便雷鳴㊀。

註：㈠屈原《卜居》：「世溷濁而不清，蟬翼為重，千鈞為輕；黃鍾毀棄，瓦釜雷鳴；讒人高張，賢士無名。」

余以近稿就正國良兄承國良兄酬詩二章步韻奉和

海上尖山爭供眼，閒愁如醉漫裁詩。少年餘習除難盡，秋月春花入夢思。

其二

碑版多君友古人，身中四大總非真㈠。洗心憂患如山立，出手清圓更有神。

註：㈠《四十二章經》二十：「佛言身中四大，各自有名，都非我者。」

附原作

方考釋碑誌接秋雄兄寄示雲在盦詩琳琅滿目愧而有酬 葉國良

少時不解人間事，爲愛清詞强作詩。憂患洗心如止水，一碑一誌寄情思。

少時夢想作詩人，情到深時反不真。難悟人間真僞事，古文奇字寓精神。

樹衡兄書聯見貽賦謝

筆走龍蛇妙有情，多君藝海合雄兵。千聯雅號吾何敢，留與謝家誇谷盈。㊀

註：㊀上款稱千聯堂主人，非所敢當。且此間已有人以此為齋號。

到眼

到眼裙裾每出塵，風流莫說隔千春。年來蝸角觀蠻觸，漸覺今人勝古人。

## 企園老人挽辭三章

倜師偷得寸心知，自寫真容綴小詩（一）。雙石瓣香成獨往（二），敦南路口夕陽遲（三）。

註：（一）老人爲吳昌碩弟子，其畫除傳師法外，更旁採齊翁、雪個，能得其神。嘗於庚申冬自畫小像，徵題於龍坡丈人，忘漸老人及雨盦、善禧二師，鯫生亦蒙青眼。老人自題「賊相」二字，並綴詩以自嘲，詩云：「老而不死猶做賊，欲偷雪個筆和墨。歲歲年年磨又琢，費盡腦力與心力。六十餘年偷不完，旋得旋失終無得。剩欲地下起缶公，細論清畫解我惑，毋令久久猶做賊。」

（二）老人堂號曰雙石草堂，蓋取瓣香吳倉石及齊白石之意。

㊂老人舊廬在敦化南路。

其二

憚於鉤注神於瓦，老去莊生與往還㊀。案上數行猶在眼，山河頓邈淚如斑㊁。

註：㊀老人晚年喜讀莊生書。

㊁丙寅之歲十一月八日，老人以書見抵，其中有「頃讀《莊子．達生篇》，以瓦注者巧，以鉤注者憚，以黃金注者殙，爲外重內拙之意。然坊間諸本注釋不一，鄴架必有善本，乞於清暇將此數語查釋見示，以資印證爲盼。」等語。

其三

蒲萄滿架粒皆圓，石鼓高歌欲薄天㈠。一自印心丹室後，吳門絕藝竟東傳㈡。

註：㈠老人畫工於花卉果蓏，書寫石鼓。
㈡老人有韓籍弟子印淳玉，頗得筆法。

題香宋老人自書詩軸

唐帖臨餘又北碑，開張峻整挺英奇㈠。歌辭書簡傷零落㈡，寶得數行時一窺。

註：㈠香宋初爲帖學，後習魏碑，故其書峻整密栗，而又氣骨開張。

㈡香宋詩潑水立就，作品極夥，頗傷散落。所貽友朋書札亦多，今皆不易覯矣。

其　二

春柳依依萬里橋，唐神宋貌自嬈嬌㈠。風人散朗今希見，香宋端宜住六朝。

註：㈠老人五七言近體，神思妙運，而出諸自然，耐人尋味。

其　三

春雨少陵紅濕花，桃箋錦里舊繁華㈠。如今世變滄桑後，猶有撩人詩婢家㈡。

註：㈠香宋，蜀人。杜甫在蜀有《春日喜雨》詩云：「曉看紅濕處，花重錦官城。」

㈡「詩婢家」爲筆墨莊，庚午冬遊蜀，曾與宜魯一顧臨之。「詩婢家」招牌三字猶是香宋老人手跡。

## 讀胡小石先生詩卷

槐柟詠盡又綸絲，杜宇聲聲日色遲㈠。遇亂人間無可說，

漫從禽木賞幽姿㈡。

註：㈠卷中詩有《剌槐》、《柟以春時落葉色如丹》、《釣絲竹婀娜有垂柳之容》、《子規》等題。

㈡卷末跋語云：「來白沙，鎮日但詠草木鳥獸耳。」

## 觀棋

局中羸得莫愁歸，韻事千年久歇微㈠。松月虛窗秋夜永，
雁行魚陣漫成圍。

註：㈠舊傳明太祖與徐達對奕，徐勝，乃以莫愁湖歸徐。

## 其　二

白黑磐峙本相當，一著差池支應忙。風雨悲歌失右角，
分圍漸看覆中方。

其　三

三子何妨讓謝公，能伸能屈自英雄。吞吳那有苞桑計，坐令曹瞞笑地宮。

其　四

輪番出手各成行，玉局猶堪角百場。勝敗尋常君子事，道爭相叱太荒唐㊀。

註：㊀《史記·刺客列傳》：「荊軻遊於邯鄲，魯句踐與荊軻博，爭道，句踐怒而叱之，荊軻默而逃去，遂不復會。」

## 詠橘

南國有嘉木，炎夏結曾陰。入秋垂霜實，青黃鬱成林。
逸少纏綿意，涪翁故園心。屈平慕精白，子壽慨重深。
獨立而不移，淑離而不淫。脩慎類有道，秉德良可欽。
願天銷兵鐵，羣生同欣悅。炎州連洞庭，此樹得森列。
家家薦春盤，歡然共佳節。

## 歲闌憶鄭懷亭先生遂以代簡

優游翰墨壯心融，萬里水雲懷鄭翁。磨劍十年成底用，㈠

窗頭慚愧事雕蟲。

註：㈠韓國鄭文卿先生號懷亭，儒雅多識，善篆刻及八法，其篆刻取徑白石老人，而自具面目。庚申之歲，先生嘗為余作「雲在盦」、「十年磨劍」諸印，日月徂逝，距今忽忽便十三年矣。牖下書生，故態依然，寧不感愧！

## 冬晴與諸生同作　八首

蓬壺地氣暖，冬樹綠猶滋。雙雀窗前語，商量及歲時。

其二

冬日實娛人，翺翺聊適志。偶過小荷塘，佇看羣魚戲。

其三

訪勝成孤往，寒花寂歷疏。斜陽如有意，流水亦徐徐。

其四

明窗讀晉楷，識得書中趣。一字一如來，森然萬法具。

其五

深居過雨後，午夢覺來時。茗碗清塵肺，吞聲讀楚辭。

其六

沈沈人定初，對客傾佳釀。客去獨觀書，緬然千載上。

其七

遠山含爽氣，塵海著閒身。坐對堂前燕，偶然成主賓。

其八

立朝勤廟略，執轡不遑居(一)。等是人中鳳，我終憐子餘(二)。

註：(一)首句謂趙盾，次句謂趙衰。

(二)《左傳文公七年》：「酆舒問於賈季曰：『趙衰、趙盾孰賢？』對曰：『趙衰，冬日之日也；趙盾，夏日之日也。』」趙衰字子餘。

戎庵畫竹 三首

潑水新詩世味熟，清才今日數戎庵。晴窗吟罷還栽竹，貞幹亭亭露氣涵。

其二

羅公畫竹拂雲嵐，題句吾師意興酣㈠。爭得山嵇起地闕，晴朝月夜與清談。

註：㈠茉原師題句及徽之看竹事。

其三

移來嶰谷兩三年，碧影搖窗鬥歲寒，筆墨分明參喜怒㈠。

尋常莫作畫圖看。

註：㈠昔人謂怒氣寫竹，喜氣寫蘭。

## 選戰

齊趙擁旌麾，戰國風雲亟。傳檄遍四方，詖辭識其惑。

不動堅如山，市井各守職。蓬壺日月長，勝負未可必。

但當布大公，紆轡終非吉。從來能和民，在德不在力。

# 跋

龔鵬程

余從秋雄師習文子學，時在十七年前。青衿年少，曚不知人世艱虞，而隨人作隊，輒自附於詩人之列。傷春悲秋，擁鼻高吟，頗以昌黎所謂「爲文須略識字」爲迂夫子言，亦不知師之能詩也。吾師誠樸，矜余之放誕，每優容勉勗，示我周行，然終不教以詩法。久之，余始於雜誌中得睹吾師詩作及諸論詩語。漸輯漸誦，乃恍然如見古人不自媒炫之風，知此即先生之教我以詩法也。先生不甚臧否流俗。然其行履足以矯流俗之弊者，率如是。今先生集所爲詩三百餘首，編成《雲在盦詩稿》一帙，自謂撫令追昔，略志平生，非所以爲詩人之業。其言亦當作如是觀。其詩選體不廣，七絕以外，皆罕涉筆，質性娟介，見於文字，且不憚煩刻雕對偶故爾。所寫則以論學訪友，書畫題賞及遊歷山水爲主，蓋世事漸不可問，捨此亦無可樂，其秋日坐雨詩云：「風光流轉感依違，人世可言新覺稀」，差可覘其心境。哀樂中年，觸感易傷，遂不覺寂寞獨尋，有蒼蒼涼涼之慨。如「逢人盡說丹楓好，寂寞秋心只自知」、「滿地西風飛木葉，由來蕭瑟最相親」、「獨坐虛堂耽寂寥，厭聞門外日囂囂」、「人情厭捭闔，天氣愛秋涼」等，皆屬此類。

余奔走塵俗，久不蒙師教誨，讀此乃憬然傷之。念人世多故，歲月不居，中年哀樂，轉瞬亦至，胸次所養，能勝此哀樂否？余無先生之學，又不能如先生之廣接當世賢達，泛觀宇內山川文物，讀先生詩，能無所感乎？即此，謹跋。辛未歲杪於淡水。

# 後記

夫鳥以鳴春，蟲以鳴秋，人情感於哀樂，豈能默爾而息，不有所鳴。三代以下，詩人踵接，吟詠靡廢，蓋亦以此故。僕不文，烏敢自廁身於詩人之列，然而天地邈矣，日月逝矣，陰陽浩浩，僕俯仰其間，亦不能無所感動。徒倚春芳，悲徂暉之不繫；沈吟樽酒，悟往境之已非。痛深山陽之笛，歡接永和之年。跡滿三韓，臨漢濱以濯足；情餘九牧，登金頂而振衣。師友纏綿，傷彼雲水；江山清曠，豁我胸眸。或物來感心，或神往赴物，往往有不能自已者。哀樂所發，遂稍事五七言古近體之作，計在宣導苦悶，不復較其辭之工拙也。歲月既積，篋稿漸多，略加刪汰，得三百餘首，彙爲一編，聊付梓行。各詩編次，略依年代之先後。詩中或綴以注文，用備他日遺忘。昔龍坡丈人讀《清畫堂詩集》，有「詩家更見開新例，不用他人作鄭箋」之句，蓋亦不以作者自加注文爲非也。其近來所作，注文加詳；早年所爲，注文稍略，或不注，體例小有不齊，亦不復惜意。心光足印，聊且存之而已。編輯既竣，承天成、茉原二師及西堂兄寵錫序文，曁雨盦師、戎盦詞丈及坤堯兄榮賜題辭。又蒙鵬程棣爲作跋。無象老人舊有七言律一章見贈，亦以弁諸書首。師友嘉勉，乏副爲愧；隆情厚誼，永誌弗諼。辛未冬日伯時沈秋雄謹記。